W9-APH-141

Mon chien
est bien élevé

**Données de catalogage avant publication (Canada)**

Dehasse, Joël
Mon chien est bien élevé

(Guide pas bête)

1. Chiens - Dressage. I. Titre II. Collection.

SF431.D44 2000 636.7'0835 C00-940029-X

DISTRIBUTEURS EXCLUSIFS:

- Pour le Canada
et les États-Unis:
**MESSAGERIES ADP***
955, rue Amherst
Montréal, Québec
H2L 3K4
Tél.: (514) 523-1182
Télécopieur: (514) 939-0406
* Filiale de Sogides ltée

- Pour la France et les autres pays:
**VIVENDI UNIVERSAL PUBLISHING SERVICES**
Immeuble Paryseine, 3, Allée de la Seine
94854 Ivry Cedex
Tél.: 01 49 59 11 89/91
Télécopieur: 01 49 59 11 96
**Commandes:** Tél.: 02 38 32 71 00
Télécopieur: 02 38 32 71 28

- Pour la Suisse:
**VIVENDI UNIVERSAL PUBLISHING SERVICES SUISSE**
Case postale 69 - 1701 Fribourg - Suisse
Tél.: (41-26) 460-80-60
Télécopieur: (41-26) 460-80-68
Internet: www.havas.ch
Email: office@havas.ch
**DISTRIBUTION: OLF SA**
Z.I. 3, Corminbœuf
Case postale 1061
CH-1701 FRIBOURG
**Commandes:** Tél.: (41-26) 467-53-33
Télécopieur: (41-26) 467-54-66

- Pour la Belgique et le Luxembourg:
**VIVENDI UNIVERSAL PUBLISHING SERVICES BENELUX**
Boulevard de l'Europe 117
B-1301 Wavre
Tél.: (010) 42-03-20
Télécopieur: (010) 41-20-24
http://www.vups.be
Email: info@vups.be

Pour en savoir davantage sur nos publications,
visitez notre site: **www.edjour.com**
Autres sites à visiter: www.edhomme.com • www.edtypo.com
www.edvlb.com • www.edhexagone.com • www.edutilis.com

site de l'auteur: www.joeldehasse.com



Dépôt légal: 1er trimestre 2000
Bibliothèque nationale du Québec

ISBN 2-8904-4677-8

Dr Joël Dehasse

# Mon chien est bien élevé

## L'abc de l'éducation

COLLECTION GUIDE PAS BÊTE

# Introduction

## Le guide passe-partout

Ce guide, vous l'avez maintenant en main. Vous allez le prendre partout avec vous, en forêt, sur la plage, en montagne, en randonnée, en bateau, à la pêche. Mais vous pouvez aussi en faire votre livre de chevet et le lire assis, à l'aise dans un fauteuil ou étendu dans votre lit.

J'espère que vous le mettrez dans votre poche, dans votre sac à main, dans votre sac à dos ou dans le vide-poche de votre voiture. Il accompagnera votre chien partout…

Ce guide ne peut pas rester un livre impeccable, un livre de collection à garder dans une bibliothèque, car vous allez le rouler, plier des coins de page, coller des indicateurs de page, souligner, colorer le texte. Si vous avez envie d'un beau livre pour votre bibliothèque, achetez-en un second exemplaire!

Ne le prêtez pas, même à votre meilleur ami. Il ne vous le rendra pas. Vous en perdrez alors la trace pour toujours…

## À quoi sert ce guide ?

Je l'ai écrit pour vous rendre la vie facile avec votre chien. Si vous espérez trouver des méthodes sophistiquées, alambiquées ou complexes pour faire un chien de cirque, ne l'achetez pas. C'est le guide du chien de famille, du bon citoyen à quatre pattes, et surtout, c'est un guide de techniques simples.

C'est facile d'éduquer un chien. Vous avait-on dit le contraire ? On vous a induit en erreur. Éduquer un chien est à la portée de tous. Encore faut-il savoir comment faire ! Je vous révèle ici tous les « secrets ».

## À qui sert ce guide ?

À vous.

C'est votre premier chien ? Vous avez des chiens depuis votre enfance, le chien n'a plus de secrets pour vous, mais il tire en laisse et ne revient pas au rappel ? Vous êtes éducateur canin ? Vétérinaire ? Je vais tenter de vous conseiller dans le domaine de l'apprentissage du chien.

## L'échec est interdit

Impossible de rater l'éducation de son chien en suivant les techniques décrites dans ce guide. Si cela ne marche pas, il vaut mieux consulter un vétérinaire comportementaliste. Le chien doit avoir un sérieux problème.

## Une clé pour lire le guide

En Occident, on lit de gauche à droite et de haut en bas. En Asie, ce serait différent. Dans ce cas-ci, pour une première lecture, je vous conseille de commencer par l'introduction et d'aller de page en page du début à la fin.

Ensuite, revenez à votre sujet préféré, potassez-le et expérimentez.

Je dois vous avouer une chose assez pénible. Il faut quelques minutes pour apprendre au chien à s'asseoir et à se coucher à l'ordre, mais bien plus pour lire la technique expliquée dans ce guide !

## Sortir des sentiers battus

Je vous fais encore un aveu. Je suis sorti des sentiers battus et surtout des… chiens battus. Je suis contrarié, indigné et révolté par les punitions, les ordres criés, les chiens qui craignent le dresseur, la peur dans les yeux du chien qui obéit... J'aime un chien qui s'amuse. J'aime un éducateur qui se réjouit. Si vous n'avez pas envie de vous divertir en éduquant un chien, ce guide ne vous est pas destiné.

# La pédagogie de l'éducateur

## Les chiens sont-ils plus doués que nous?

Les mamans chiens n'ont pas besoin de cours de pédagogie pour éduquer leurs chiots. Je les ai regardées pendant des dizaines d'heures. Elles modifient leurs techniques éducatives en fonction de l'âge de leurs chiots. Elles leurs apprennent des comportements essentiels: contrôler leurs mouvements, adapter l'intensité de leur morsure aux circonstances, adopter la posture de soumission en présence des adultes et des chiens dominants, manger après les chiens de rang plus élevé qu'eux dans la meute, synchroniser leurs comportements avec ceux du groupe, etc.

Pour instruire les chiots, la mère et les chiens adultes éducateurs utilisent des techniques éprouvées: des encouragements, des récompenses, des corrections, des distractions et quelques rares punitions.

Mais bien entendu, le chien éducateur a des facilités. Il utilise en effet des signaux de communication que les chiots comprennent aisément: des léchages, des aboiements, des grognements, des mimiques du visage et des postures corporelles. Il y a même des signaux constitués d'odeurs appelées «phéromones» que nous ne percevons pas. Ces odeurs sont très significatives pour le chiot: certaines sont apaisantes et permettent de structurer l'attachement à la maman, de la reconnaître entre toutes les chiennes, et d'autres informent du statut social dans la hiérarchie.

Devant ces subtilités du langage du chien, nous, les humains, avons un handicap certain. Nos mimiques sont pauvres, notre langage est articulé et complexe (voire incompréhensible), et nous sommes facilement irritables.

## Le chien est-il comparable à l'enfant ?

Le chien que nous allons éduquer est un peu comme un enfant de deux ans dans un monde d'adultes parlant une langue étrangère. Imaginez, par exemple, que vous venez d'adopter une petite Chinoise. Vous désirez lui apprendre des choses élémentaires comme manger avec une fourchette, etc. Mais vous ne parlez pas le moindre mot de chinois. Comment allez-vous vous y prendre ? Allez-vous :

1. Lui tenir un long discours en français en lui expliquant les avantages de se nourrir avec une fourchette ?
2. Lui dire « très bien » lorsqu'elle prend spontanément la fourchette pour piquer dans un aliment ?
3. Prendre sa petite main dans la vôtre, y insérer la fourchette et faire le mouvement de piquer un aliment et le mettre dans sa bouche ?
4. Lui montrer comment vous faites et espérer, qu'avec le temps, elle vous imite ?
5. Lui répéter le mot « fourchette » quand elle regarde ou prend la fourchette, et le mot « manger » quand elle met les aliments dans sa bouche ?
6. Lui dire « non » quand elle mange avec ses mains ?
7. Crier et lui taper sur les mains quand elle mange avec ses mains ?
8. La secouer par la peau du cou tant qu'elle ne mange pas correctement avec une fourchette ?
9. Lui mettre un collier et une laisse, et tirer sur la laisse quand elle ne se comporte pas comme vous le désirez ?
10. Apprendre à parler couramment le chinois pour lui expliquer comment vous désirez qu'elle mange à l'aide d'une fourchette ?

11. Apprendre quelques mots de chinois et lui montrer, par l'exemple, comment faire, puis guider son comportement?
12. Mettre les aliments dans un récipient étroit pour qu'elle ne puisse y glisser la main et la laisser jeûner jusqu'à ce qu'elle comprenne qu'elle doit utiliser un objet (la fourchette) pour accéder aux aliments et se nourrir?

Certaines de ces techniques sont barbares, violentes et inacceptables pour éduquer un enfant, et pourtant, on les utilise depuis longtemps pour éduquer les chiens. Quelques-unes donnent des résultats rapides, d'autres des résultats plus tardifs. Certaines permettent de valoriser l'enfant, d'autres engendrent chez lui la peur de l'éducateur.

## Qu'est-ce que la pédagogie dans l'éducation du chien?

La pédagogie, c'est la compétence à enseigner. Éduquer un enfant de deux ans, étranger de culture et de langue, nécessite des outils pédagogiques différents de ceux utilisés pour enseigner à des étudiants à l'université. Éduquer un chien requiert également une pédagogie particulière. Vous devrez:

- avoir réellement envie d'apprendre quelque chose de précis à un chien et décider de prendre le temps de le faire;
- apprendre quelques rudiments du langage du chien, c'est-à-dire avoir au moins une idée sur sa façon de communiquer et sur ses compétences intellectuelles;
- utiliser des mots simples, toujours les mêmes, et les répéter jusqu'à ce que le chien les ait associés à des comportements particuliers;
- respecter l'âge et le niveau d'intelligence du chien et ne pas lui demander des choses trop compliquées pour son niveau d'aptitude;
- étudier les techniques élémentaires pour une éducation efficace et sans histoires.

En somme, c'est vous qui allez fournir les plus gros efforts. C'est bien pour cela que ce guide n'est pas écrit pour les chiens, mais pour les éducateurs !

Pour commencer directement l'apprentissage de votre chiot ou de votre chien adulte, apprenons-lui à s'asseoir à la demande.

# L'assis

Tout chien peut s'asseoir. Être capable de déposer son postérieur sur le sol fait partie de ses compétences innées. De plus, c'est reposant!

Mais il ne comprend pas l'ordre « assis », car aucun chien ne connaît le français.

Prenons un exemple.

« Assis ! »

Waf! Que me demande-t-il ? Qu'est-ce que cela veut dire ces sons bizarres faits de « aaa… » et de « ssi… » ?

Le chien doit d'abord apprendre ce que signifie le mot « assis ». C'est très simple, il suffit de lui dire « assis » quand il s'assied. Pour être certain qu'il comprenne bien, répétez le mot « assis » d'une voix normale chaque fois qu'il s'assied et jamais dans d'autres circonstances. Refaites cette association au moins 20 fois, et même plus.

« Assis ! »

Waf! Chaque fois que je m'assieds, mon maître dit « assis ». Si je pouvais parler comme un enfant de 20 mois, je dirais « assis » quand je m'assieds. Mais comme je ne peux pas parler, je me contente de dire « waf » ou de ne rien dire. Mais j'ai bien compris que « assis » signifie que je suis assis !

Vous ne saurez pas quand le chien a compris. Comment le pourriez-vous ? Il ne vous donnera aucune indication. Mais vous pouvez supposer qu'après une vingtaine de répétitions systématiques, il aura intégré cette information.

C'est le moment de lui proposer de s'asseoir à la demande. Comment procéder ? C'est extrêmement simple. Attendez qu'il commence à s'asseoir, dites aussitôt « assis » et ensuite, donnez un morceau de biscuit ou de jambon.

Mon chien fléchit les jambes. Il va s'asseoir. Il s'assied. Vite : « Assis ! »
Je me suis assis et mon maître a dit « assis ».
Il s'est assis. Vite, lui donner un biscuit. Heureusement que j'en avais caché un dans ma poche.
Wow! Quelle aubaine, un biscuit ! Que me vaut cette douceur ? Et si je sautais vers sa main pour en avoir d'autres ?

Il faut bien entendu répéter cette situation. Le chien s'assied, vous dites « assis » et vous lui donnez un biscuit. Combien de fois ? Cela varie d'un chien à l'autre, mais disons une vingtaine de fois.

Chaque fois que je m'assieds, j'entends le mot « assis » et je reçois une friandise. Je pense qu'il y a une relation entre ces trois événements. Si c'est correct, pour en avoir d'autres, je devrais rester assis. Quand je saute vers la main de mon maître, je ne reçois rien. Quand je suis assis, je reçois un biscuit.
On dirait que le chien a compris.

À ce moment, tentez l'expérience de lui ordonner de s'asseoir. Profitez de ce que votre chien est debout, attirez son attention en prononçant son nom et dites « assis ». Dès qu'il s'assied, donnez-lui la friandise.

Bon, je suis prêt à tenter l'expérience. Mon chien est debout, il ne s'occupe pas de moi. J'ai une friandise en poche, il ne le sait pas. « Oscar ! Oscar ! » Ça y est, il me regarde. C'est le moment de lui dire « assis ».
Eh, il a dit « assis » ! D'habitude, ce mot est associé à mon postérieur posé sur le sol et à une friandise. Bon, je vais m'asseoir et voir ce qui va se passer…
Super ! Oscar s'est assis. « Tiens, mon bon chien, voici ta friandise. »
Ça marche, j'ai reçu une friandise !

Si cela a vraiment été efficace, comme c'est le cas dans 90 % des situations, vous n'avez qu'à répéter la procédure. Dans le cas contraire, vous pouvez favoriser la position assise en présentant la friandise au chien, légèrement en hauteur pour qu'il soit obligé de lever la tête et en avançant vers lui, pour qu'il soit obligé de reculer, tête levée, ce qui le forcera à s'asseoir.

« Oscar ! Oscar ! » Ça y est, il me regarde. C'est le moment de lui dire « assis ».
Eh, il a dit « assis ». Mais qu'est-ce qu'il attend de moi ?
Il ne s'assied pas. Ce n'est pas grave. Je sors le biscuit de ma poche et je le lui tends en hauteur.
Wow ! Une friandise ! Je vais redresser la tête pour la prendre.
Il redresse la tête, je vais m'avancer un petit peu. « Assis ! »
Je recule, je lève la tête, mais je n'arrive pas à sauter vers la main. Le plus simple, c'est de m'asseoir. »
Ça y est, il s'assied. Je lui donne la friandise.
Hum ! Délicieux, ce biscuit !
Super ! Oscar s'est assis.

Si cela a vraiment été efficace, répétez la procédure. Dans le cas contraire, favorisez la position assise en présentant la friandise au chien et en appuyant légèrement sur ses fesses pour l'aider à s'asseoir. Mais je préfère que vous utilisiez le moins de contacts physiques possible. Servez-vous seulement de la voix ou des gestes.

Si le chien est sourd, si vous êtes muet, si vous préférez ne pas dire « assis » ou si vous voulez que le chien obéisse autant à la voix (à courte distance) qu'au geste (à grande distance), vous pouvez remplacer ou compléter le mot « assis » par un simple geste du bras : une flexion de l'avant-bras (le bras reste le long du corps), index de la main tendu (les autres doigts étant fléchis).

« Oscar ! »
Que se passe-t-il ?
« Assis ! » En même temps, je plie mon avant-bras index tendu.
Je m'assieds.
Je lui donne sa friandise dès qu'il est assis.
Chouette, un biscuit ! Je reçois un biscuit quand mon maître me dit « assis », fait un mouvement du bras et de la main, et quand j'ai mon postérieur sur le sol.

Il faut répéter cet exercice une vingtaine de fois. On peut ensuite dissocier la voix et le geste, et encourager le chien avec un biscuit lorsqu'il répond correctement à l'un ou à l'autre de ces signaux.

Nous sommes à mi-chemin dans notre enseignement de l'assis sur demande.

Nous allons maintenant proposer deux choses en même temps : mémoriser la représentation et accepter une récompense symbolique.

Il suffit d'associer à la friandise un mot clé (par exemple, « bravo », « bon chien », « super »... ) ou un son (un claquement de langue, etc.), ou autre chose qui ne sera utilisé que comme récompense et pas dans la vie courante. Et la friandise ne sera plus donnée chaque fois, mais une fois sur deux, sur trois, sur quatre... sans que le chien puisse prévoir quand il va la recevoir.

Si je comprends bien, je vais faire une économie de biscuits. Moi qui voulais faire obéir mon chien sans biscuit, je suis quelque peu rassuré. « Oscar ! »
Tiens, que se passe-t-il ?
« Assis ! »
Bon, on dirait que l'on recommence. Je m'assieds donc.
Je donne une friandise. « Bravo ! »
Oh, un son nouveau avec le biscuit ?
(Un peu plus tard.) « Oscar… Assis ! »
On recommence. Pourquoi pas ? Que ne ferais-je pas pour un biscuit ? Je m'assieds.
Je ne donne pas de friandise, mais je dis « bravo ! ».
Waf ! Que se passe-t-il ? Il manque un élément dans la séquence ! Mon maître a dû oublier le biscuit !
Je recommence. « Assis ! »
Waf ! Alors, biscuit ou pas biscuit ? Je m'assieds pour voir !
Je dis « bravo ! » et je donne le biscuit.
Bien, il n'a pas oublié le biscuit, cette fois !

Après quelques jours, le chien ne reçoit le biscuit qu'une fois sur 5 à une fois sur 10. Le mot « bravo » est prononcé chaque fois. La mémorisation de la demande s'établit.

Mon chien a appris à s'asseoir en quelques minutes…
Mon maître a appris quelque chose ces derniers jours. Quand je dépose mon postérieur sur le sol, il bafouille un aboiement « brra-vo » (c'est d'un comique!), mais il a l'air heureux et cela me fait plaisir. De plus, de temps en temps, il me donne un biscuit. C'est OK, je ne m'attends pas à manger chaque fois que je le demande.
Dorénavant, je lui donne un biscuit une fois sur 15, mais je lui dis « bravo ! » systématiquement.

En général, quand on demande à son chien de s'asseoir, c'est pour qu'il reste assis quelques instants. L'étape suivante est donc de faire comprendre au chien que vous attendez qu'il soit assis et qu'il reste assis pendant quelques secondes à quelques minutes. C'est facile, il suffit de retarder progressivement la gratification par le biscuit ou la récompense symbolique.

« Oscar ! »
J'arrête mes activités et regarde mon maître.
« Assis ! »
Je m'assieds.
J'attends deux secondes.
Eh, que se passe-t-il ? Je penche la tête sur le côté, en attente.
« Bravo ! » Je donne un morceau de biscuit.
Il y a eu une subtile modification de la procédure.
Je vais progressivement attendre 2, puis 4, 8, 16… et enfin jusqu'à 30 secondes et même une minute. Mais combien de temps puis-je le faire attendre ?

Je pense qu'un « assis » de une à deux minutes est suffisant.

Pour qu'il reste plus longtemps assis, il convient de donner un ordre différent : « assis » + « reste ».

À ce moment, l'« assis » demande un mouvement spécifique et le « reste » demande que le chien ne bouge pas de la position, ce qui est un comportement passif contrôlé et inhibé très différent. La commande « reste » pourra être utilisée avec d'autres ordres comme « couché ». Le « reste » s'accompagne d'une immobilité du corps. Il ne faut pas activer l'envie de bouger du chien.

« Oscar ! Assis ! »
Je m'assieds.
J'attends deux secondes. « Reste ! »

Je penche la tête. Un nouveau son? Mon maître reste immobile. Bon, je vais attendre et voir la suite des événements.

J'attends quelques secondes et puis je dis « bravo ! ». Je donne un morceau de biscuit.

Il y a eu une modification minime de la procédure.

Je répète l'exercice en introduisant un temps croissant entre l'ordre « reste » et la récompense. Eh, ça marche !

On peut aussi espacer la récompense symbolique. On peut la donner une fois sur deux, ou trois, ou quatre… au hasard.

Avec cette technique qui n'utilise aucune contrainte, le chien obéit pour le plaisir : pour se faire plaisir et même pour vous faire plaisir, parce que votre corps exprime la satisfaction. Le chien profite de votre bien-être et de votre joie de vivre, et il en est heureux.

## Résumé

| | | | |
|---|---|---|---|
| | Je m'assieds | « Assis ! » | |
| | Je m'assieds | « Assis ! » | Biscuit |
| | Je m'assieds<br>« Assis ! » | Biscuit | |
| « Assis ! » | Je m'assieds | Biscuit | |
| « Assis ! » | Je m'assieds | Biscuit | « Bravo ! » |
| « Assis ! » | Je m'assieds | « Bravo ! » | |
| « Assis ! » | Je m'assieds | (2 secondes) | Biscuit |
| « Assis ! » | Je m'assieds | (4 secondes) | « Bravo ! » |
| « Assis ! » | Je m'assieds | (8 secondes) | Biscuit |
| « Assis ! » | Je m'assieds | « Reste ! » | Biscuit |
| « Assis ! » | Je m'assieds | « Reste ! » (8 sec.) | Biscuit + « Bravo ! » |
| « Assis ! » | Je m'assieds | « Reste ! » (… sec.) | « Bravo ! » |

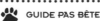

J'ai appris à mon chien à s'asseoir et à rester assis à l'ordre.

J'ai appris à faire plaisir à mon maître et à me faire plaisir en même temps; j'utilise des postures simples quand il aboie des sons particuliers et je suis valorisé.

# Les conditionnements

Aucun chien ne parle un langage humain, que ce soit le français, l'anglais ou le japonais. Biologiquement, le chien est incapable d'articuler des sons complexes, d'en faire des mots, d'assembler ces mots en phrases même élémentaires. Il n'a ni le larynx ni les centres cérébraux pour parler. Il est donc inutile d'essayer d'expliquer à un chien ce que l'on attend de lui, tout comme il est inutile d'essayer de raviver sa mémoire d'événements passés en le disputant sur des événements anciens ou sur des actions déjà accomplies.

En revanche, le chien est capable, après instruction, de comprendre la signification de mots simples. Comment est-ce possible?

## Le chien comprend des mots simples

Un mot est une association de sons simples. Le chien entend les sons que nous prononçons. Il peut associer ces sons avec des actions ou des comportements. Cette association s'appelle un conditionnement. Ce n'est qu'après un conditionnement que le chien peut comprendre des mots.

## Le conditionnement du repas

Prenons l'exemple de sons très simples comme l'ouverture du placard où se trouve la nourriture, le froissement du sac de croquettes, bruit qui précède celui des croquettes tombant dans la gamelle. Pour le chien, ce son signifie qu'il va manger. Bien qu'anodin à l'origine, il va avoir des conséquences spectaculaires. Le chien se précipite vers l'endroit où il mange, il se met à saliver, son estomac produit des sucs gastriques qui faciliteront la digestion des aliments, son foie s'active lui aussi, tout comme le pancréas et l'intestin, pour produire des enzymes capables de digérer les aliments. Certains chiens deviennent irritables et leur agressivité s'accroît parce qu'ils vont peut-être devoir entrer en conflit avec d'autres chiens en raison d'une alimentation restreinte ou d'un rang hiérarchique instable. Parfois, le repas est l'occasion pour le chien d'entrer en conflit avec son maître pour déterminer qui domine dans la hiérarchie de la famille. Si c'est le cas, la chimie du cerveau produit de la noradrénaline, le chien devient vigilant, plus susceptible d'excitation ou d'agression.

Un simple bruit de papier froissé suffirait-il à déclencher tout cet ensemble d'opérations? Oui! Ces quelques bruits sont devenus avec le temps des signes qui déclenchent chez le chien, à son insu, c'est-à-dire inconsciemment, des réactions biologiques très fortes qu'il est incapable de contrôler: productions d'enzymes digestifs, modifications de la chimie de son cerveau, vigilance accrue pour l'aliment et risques de conflit avec ceux qui voudraient le lui prendre, excitation croissante, irritabilité éventuelle.

Il est important de comprendre ce point essentiel: n'ayant pas conscience de ces réactions, le chien ne peut rien faire sauf les vivre. Et tous ces changements biologiques ont lieu à cause d'un froissement de sac en papier ou du bruit léger, parfois à peine audible, d'une porte d'armoire qui s'ouvre à une heure précise!

## Le conditionnement du mot « assis »

Quand un éducateur dit « assis » à un chien qui n'a pas encore reçu d'éducation, cela n'a aucun sens pour l'animal. L'éducateur aura beau répéter ce mot, il n'aura pas plus de signification pour le chien.

Biologiquement, le chien n'est pas préparé à comprendre le mot « assis ». Il n'est pas non plus apte à associer les deux sons « a » et « si ».

À la limite, le « a » peut ressembler à une partie d'aboiement, mais sans plus. Ce « a » qui ressemble à un « wa » peut tout au plus attirer l'attention du chien.

Mais examinons une nouvelle situation.

Le chien s'assied, quelle qu'en soit la raison. L'éducateur dit « assis ». Chaque fois que le chien s'assied, l'éducateur répète le mot « assis ». Après une série de répétitions, ce mot prend une certaine signification pour le chien : il implique une position ou une action que le chien réalise spontanément, s'asseoir ou être assis.

Cela ne signifie pas que le chien va automatiquement s'asseoir quand il l'entendra. Mais parfois, cela suffit. Pour que le chien s'assoit au mot « assis », l'action doit être récompensée. J'y reviendrai, car c'est très important.

## Les deux types de conditionnement

Il y a deux types de conditionnement. Le premier concerne les opérations et les activités involontaires, le deuxième, les actes volontaires.

Les opérations involontaires sont : avoir faim, avoir soif, avoir envie d'uriner, s'exciter, s'irriter, se fâcher, s'effrayer, désirer, saliver, transpirer, produire des enzymes digestifs, etc.

Les opérations involontaires peuvent être conditionnées par un bruit, par la vue d'un objet, par un contexte ou par un horaire. La faim apparaît souvent à l'heure habituelle des repas, même s'il y a eu ingestion de nourriture une heure auparavant. L'irritation et la colère se manifestent dans des situations particulières, souvent répétitives, comme l'heure du repas, ou la présence d'un congénère, ou encore un geste caractéristique du maître. De nombreux chiens sont conditionnés à uriner sur l'herbe ou sur des journaux, et refusent d'uriner sur du béton.

Les opérations volontaires sont : avancer, reculer, aboyer, mordre, s'asseoir, se coucher, se rouler sur le dos, etc.

Les opérations volontaires peuvent, elles aussi, être conditionnées par un bruit, par la vue d'un objet, par un contexte ou par un horaire, mais elles sont directement fonction des conséquences favorables ou néfastes du comportement. Le mot « assis » ne provoquera le comportement de s'asseoir chez le chien que si les conséquences de cette action lui sont fréquemment favorables. Est favorable le fait de recevoir un biscuit, mais aussi de voir l'éducateur se détendre et s'apaiser parce que le chien a obéi à sa demande.

## Le stimulus déclencheur

Nous l'avons vu, les opérations volontaires et involontaires peuvent être déclenchées par quelque chose dans l'environnement extérieur de l'animal (un bruit, un mouvement, un contexte, un horaire, etc.) qui sert de signal déclencheur.

Biologiquement, le chien n'est pas programmé pour saliver lorsqu'il entend le froissement d'un sac en papier. Cela n'arrivera que si sa nourriture est extraite du sac qui produit ce bruit caractéristique. Un autre bruit ne déclenchera pas de salivation chez ce chien. En revanche, un autre chien salivera en entendant le raclement d'une cuillère dans une gamelle en métal, ou simplement à l'heure habituelle du repas, ou encore au bruit des ciseaux à viande. Chaque chien a un ou plusieurs signaux ou stimuli déclencheurs, simples ou complexes, pour la majorité de ses opérations volontaires ou involontaires.

Ce stimulus déclencheur n'est pas un signal biologique. Voici quelques exemples de signaux biologiques : une vessie pleine, distendue, est un signal biologique pour uriner ; la vue d'un petit gibier qui se déplace de façon chaotique est un signal biologique pour chasser ; pour un chien affamé, l'odeur et la vue d'un morceau de viande sont des signaux biologiques pour saliver.

Mais le mot «pipi» est un signe conditionnel pour uriner. La vue d'un vélo est un signal conditionnel pour chasser. Le froissement du sac de croquettes est un signal conditionnel pour saliver.

## Le conditionnement classique

Le conditionnement classique est le déclenchement d'une opération involontaire par un stimulus quelconque. C'est la mise en relation automatique ou réflexe d'un stimulus conditionnel et d'une opération involontaire (une émotion, une modification chimique, une opération digestive, urinaire ou sexuelle, etc.). C'est le cas du chien:

- qui se précipite vers une surface herbeuse pour éliminer lorsque l'éducateur lui dit «pipi»;
- qui devient irritable le soir une heure après son repas et quand on allume la télévision;
- qui devient craintif lorsque le ciel s'assombrit et que l'orage menace, ce qui l'effraie particulièrement;
- qui chevauche sans discrimination toute personne qui s'accroupit dos à lui.

Le conditionnement classique agit sur l'animal à son insu; il agit peu sur l'environnement.

## Le conditionnement opérant

C'est le déclenchement d'une opération volontaire par un stimulus quelconque. C'est la mise en relation automatique ou réflexe d'un stimulus conditionnel et d'une opération volontaire (un acte moteur, un mouvement intentionnel, une posture corporelle, etc.). C'est le cas du chien:

- qui s'assied à l'ordre «assis», se couche à la demande «couché», revient au rappel, marche en laisse sans tirer;

- qui attaque systématiquement le facteur ;
- qui se précipite et poursuit tous les vélos et les coureurs ;
- qui se terre dans la salle de bain lorsque l'orage tonne.

Le conditionnement est dit opérant parce qu'il opère (produit) une action sur le comportement du chien et sur son environnement, parce que cet environnement répond d'une façon ou d'une autre. On le dit aussi instrumental, parce que le comportement de l'animal agit comme un instrument sur le milieu pour le modifier. Le conditionnement opérant agit sur l'environnement de façon prioritaire.

Et ce sont les réactions de cet environnement (récompense et correction) qui permettront de modeler le comportement du chien.

## Conditionnement et éducation

Si j'insiste sur les conditionnements, c'est parce qu'ils sont à la base des processus d'éducation. Il n'y a pas d'éducation sans conditionnement, sans répétition, sans association d'un signal et d'une opération involontaire ou volontaire, sans récompense ou correction, mais aussi sans un éducateur et un élève désireux d'apprendre.

# Le coucher

Tous les chiens se couchent. Biologiquement, ils sont capables de s'allonger sur le sol. D'ailleurs, ils aiment ça ! Et puis, avez-vous déjà vu un chien dormir debout ? Non, car aucun ne peut le faire.

Il existe de nombreuses positions couchées : sur le ventre, la tête haute ; sur le ventre, la tête couchée entre les membres antérieurs ; sur le côté, sur le dos, avec ou sans appui contre un objet ou une personne. D'habitude, la posture « couché sur le ventre, tête redressée » est associée au mot « couché ». Pour la position « couché sur le côté », vous pourriez dire « dormir » ou « dodo » ; pour la position « couché sur le dos », vous pourriez dire *back* (dos) ou un autre mot de votre choix. Pour la position « couché sur le côté, les membres postérieurs ouverts et en présentant le ventre », vous pourriez par exemple dire « soumission ».

Vraiment, vous avez toute liberté pour choisir le mot qui vous convient le mieux, sans vous laisser influencer par les livres ou les écoles d'éducation. C'est à vous de sélectionner votre vocabulaire éducatif.

Pour faciliter les explications, je me contenterai de vous parler du « coucher » en association avec la posture « couché sur le ventre, tête redressée ».

## Un travail éducatif simplifié

Le travail de l'éducateur est donc simplifié. Il ne doit pas apprendre au chien à se coucher, comme on peut apprendre à un ours à faire du vélo sur une piste de cirque. La seule chose à faire, c'est de réaliser un conditionnement opérant.

## Répéter le mot « couché »

La première étape d'un conditionnement simple consiste à associer le comportement volontaire et intentionnel du chien avec un signal.

Le chien a de nombreux signaux pour se coucher : la fatigue en est un, mais l'observation attentive et prolongée de l'environnement en est un autre.

Que faire ? Quand le chien ou le chiot se couche sur le ventre, tête redressée et attentif, l'éducateur doit dire « couché ». Chaque fois que le chien adopte cette position spontanément, volontairement et indépendamment de l'éducateur, celui-ci répétera le mot « couché ».

Bientôt, après 3 à 10 répétitions, le chien comprendra le mot « couché » et l'associera dans sa tête avec la position.

N'est-ce pas extrêmement simple ?

## Récompenser

Au cours de la deuxième étape, on donne une récompense au chien qui s'est couché spontanément.

Pourquoi lui donner une récompense puisqu'il n'a pas obéi à un ordre ? Parce que le chien a tendance à répéter un comportement qui est suivi d'une valorisation, d'un plaisir. Et un biscuit, un morceau de fromage ou de lardon est très certainement un plaisir pour la majorité des chiens.

Le chien se couche spontanément, l'éducateur dit « couché » et donne directement une friandise.

L'éducateur peut répéter cette deuxième étape autant de fois qu'il le désire.

## La fusion des séquences

Puis, l'éducateur va tenter de dire le mot « couché » le plus vite possible quand le chien se couche spontanément — s'il le peut, au moment même où l'animal amorce le mouvement.

C'est la troisième étape. Elle requiert deux exigences chez l'éducateur. Pour réaliser celle-ci, l'éducateur doit :

- être vigilant à ce que fait son élève, en le guettant des yeux, en le poursuivant sans arrêt d'une pièce à l'autre, sans pour autant le perturber ;
- avoir en permanence avec lui une friandise cachée dans une poche.

## Inverser la séquence

La quatrième étape est la plus difficile. Mais ne vous en faites pas, si les trois premières étapes ont été réalisées correctement, elle est d'une très grande facilité. L'éducateur va inverser les séquences ; il va dire « couché », attendre que le chien se couche et il donnera la friandise immédiatement après le coucher.

À ce stade, le chien obéit à la demande, puisqu'il se couche lorsque l'éducateur envoie le signal, soit le mot « couché ».

Même si de nombreux éducateurs s'arrêtent ici, je conseille d'aller plus loin dans le conditionnement.

## L'addition d'un second signal

Il peut être très agréable qu'un chien se couche sans qu'on dise quoi que ce soit. Peut-être parce que l'on se trouve dans un endroit public où le silence ou un peu de discrétion sont de rigueur. Peut-être aussi parce que l'on désire que le chien réponde à notre demande à une distance exigeant que l'on crie pour se faire entendre de lui.

À plus grande distance, les mouvements du bras sont des signaux plus efficaces que les sons. Je conseille donc le mouvement du bras suivant : quelle que soit sa position originelle, placer le bras à l'horizontale, tendre la main en prolongement du bras, la paume dirigée vers le bas. Si le bras était levé, il suffit de l'abaisser. Si le bras était collé au corps, faites glisser la main contre la poitrine et le cou et ensuite, avancez le bras à l'horizontale.

Ce second signal sera ajouté au mot « couché ».

Pour les personnes qui ont de la difficulté à parler ou qui sont muettes, ce signal servira de stimulus conditionnel. Elles devront veiller à s'en servir à la place du signal verbal « couché ».

Après une dizaine de répétitions, le chien répondra indifféremment aux deux signaux : le « couché » et le « bras horizontal ». Réagir à deux signaux pour une action volontaire est un enrichissement certain du vocabulaire de nos élèves, comme une utilisation de synonymes.

## Pour une bonne mémorisation

Donner une friandise à chaque coucher, c'est bien. Cela permet d'accélérer le processus d'éducation. Mais il ne faudrait pas que le chien n'obéisse que lorsqu'il voit que l'éducateur a une friandise dans la main.

Je propose donc de donner désormais la friandise une fois sur deux ou sur trois demandes. L'expérience a démontré que cela facilitait la mémorisation.

## Et si la récompense devenait symbolique ?

C'est vrai, l'éducateur n'a pas toujours en poche une friandise. Et dans certains concours, les règlements interdisent l'utilisation de friandises.

Comment faire ? C'est encore et toujours très simple. Pourquoi ne pas ajouter un signal en association avec la friandise. La plupart des éducateurs disent « c'est bien », « bon chien », « bravo » ou un autre mot, ou encore une courte phrase. Mais pour un chien qui ne parle pas français, cela n'a a priori aucun sens, tant que le processus de conditionnement n'a pas été réalisé. Le chien comprendra que l'éducateur est content parce qu'il le percevra sur son corps : le sourire, la détente du corps, la souplesse des mouvements, le ton plaisant de la voix comme une chanson agréable. C'est uniquement grâce à ce langage corporel que le chien pourrait comprendre que le « c'est bien » ou le « bon chien » est une récompense. Mais c'est loin d'être aussi efficace qu'une friandise. Sauf si on suit la procédure suivante. Pourquoi ne pas dire « bon chien » ou « c'est bien », clapper la langue dans la bouche ou claquer les doigts en faisant un bruit qui ressemblerait à « clap clap » ou « clic clic » en association avec la friandise ? Là, ça devient intéressant, car ce petit conditionnement classique permet d'associer une friandise et un signal, qui deviendra à son tour une récompense symbolique. Après quelques dizaines de répétitions, notre élève répond aussi bien à la récompense symbolique qu'à la friandise.

**RÉSUMÉ**

| | | |
|---|---|---|
| Le chien se couche | « Couché » | |
| Le chien se couche | « Couché » | Friandise |
| Le chien se couche + « Couché » | Friandise | |
| « Couché » | Le chien se couche | Friandise |
| Main horizontale + « Couché » | Le chien se couche | Friandise |
| Main horizontale (sans rien dire) | Le chien se couche | Friandise |
| Main horizontale (sans rien dire) | Le chien se couche | Friandise de temps en temps |
| Main horizontale (sans rien dire) | Le chien se couche | Friandise de temps en temps + récompense symbolique : « clic », « c'est bien »… |
| Main horizontale (sans rien dire) | Le chien se couche | Récompense symbolique : « clic », « c'est bien »… |

## Une anecdote

J'ai vu un chien qui, après plusieurs mois de dressage, refusait toujours de se coucher à la demande. Rien n'y faisait, ni la méthode douce ni la méthode dure. L'éducateur en était arrivé à porter tout le poids de son corps sur la laisse avec son pied pour tirer le cou du chien vers le sol. Mais une fois le cou par terre, ses postérieurs étaient toujours relevés. L'éducateur avait une grande envie d'abandonner.

Je lui ai dit : « Je connais une technique qui permettra à votre chien de se coucher à l'ordre en quelques minutes. » L'éducateur a ri. Ce n'était pas possible, n'est-ce pas ? Pas après des mois de dressage infructueux ! Je lui ai proposé la technique décrite dans ce chapitre. Après seulement sept répétitions du mot « couché » avec récompense, le chien se couchait à la demande. Et pour apprendre à l'animal cette chose très simple, il a fallu beaucoup moins de temps à l'éducateur qu'il ne m'en a fallu pour l'expliquer à celui-ci !

# Les récompenses

On peut définir une récompense comme une information — peu importe son type — qui permet d'intensifier un comportement volontaire.

En psychologie scientifique, on appelle cela un renforcement positif. Pourquoi? Parce que le comportement est renforcé positivement, c'est-à-dire augmenté en fréquence, en intensité et en durée, selon le cas.

Une récompense entraîne « plus de comportement ». Si vous dites « bon chien » à votre chien quand il s'assied et que cela le fait s'asseoir plus vite, plus souvent et plus longtemps à la demande, alors « bon chien » est une récompense.

Mais quel chien comprend, sans avoir eu d'éducation, que les deux mots « bon chien » sont valorisants?

## Une vue souvent trop humaine

On a trop souvent tendance à définir la récompense en fonction de critères humains, de valeurs anthropomorphiques. On dira facilement qu'une récompense est:

- une caresse,
- un aliment,
- la phrase « c'est bien »,
- les mots « bon chien »,
- une caresse après une obéissance.

C'est à la fois vrai et faux. Toutes ces informations peuvent être des récompenses, et toutes peuvent ne pas en être. Tout va dépendre des effets qu'elles ont sur le comportement du chien.

*La récompense est qualifiée par son efficacité.*

## Psychologie expérimentale

Intéressons-nous un court instant à la psychologie expérimentale. Aucun animal de laboratoire à qui on apprend des trucs inouïs et bizarres ne travaille gratuitement. Rats, souris, pigeons, singes, chats et chiens poussent sur des leviers, étudient les différences entre un cercle et un ovale, entre des couleurs et des formes. Ils le font à condition d'y trouver un intérêt. Quand l'animal a émis le comportement que l'expérimentateur attendait de lui, il reçoit une friandise.

Pourquoi reçoit-il une friandise et pas une caresse, pas les deux mots habituels « bon chien », « bon rat » ou « bon singe » ? Parce que ça marche ! Parce que la friandise permet d'augmenter le nombre de bonnes réponses alors que les mots « bon chien » n'y arrivent pas.

Le lecteur attentif me dira que le chien de laboratoire n'est pas en relation d'affection avec l'expérimentateur comme le chien de famille l'est avec son éducateur. C'est vrai. L'attachement facilite l'éducation. La friandise reste néanmoins efficace.

## Une récompense inattendue et extraordinaire

Rats, souris, singes, pigeons, chiens et chats travaillent mieux si la friandise est inattendue et différente de la croquette alimentaire. En somme, si la récompense sort de l'ordinaire.

Quelle sera la récompense, le stimulus efficace pour votre chien ? Une caresse suffit-elle ? Un morceau de fromage, du saucisson, même du chocolat (en toute petite quantité) s'avèrent-ils meilleurs ? Oui, si le chien « produit plus de comportement » lorsqu'il obtient cette gratification.

La récompense est cet élément intéressant et recherché qui apparaît ou est ajouté lorsque le comportement désiré est effectué. La psychologie expérimentale démontre que sont efficaces uniquement les renforcements extraordinaires, c'est-à-dire ceux qui sortent de l'ordinaire de l'animal. Est extraordinaire et donc une récompense :

- la caresse pour le chien qui n'est jamais caressé et est en demande d'attention ;
- les félicitations chaleureuses pour le chien qui est en demande d'amour ;
- l'aliment ordinaire pour le chien affamé ;
- l'aliment spécial pour le chien familial, nourri, caressé et aimé ;
- le jouet pour le chien qui veut jouer.

Dès lors ne seront correctement récompensés par une caresse et des félicitations vocales que les chiens de chenil, les mal aimés et ceux en manque d'affection. Les chiens de famille auront besoin de stimulations plus extraordinaires.

## Quel type de récompense ?

Il existe plusieurs types de récompense :

- la récompense consommable, alimentaire : une petite bouchée d'un aliment spécial.
- la récompense sociale et affective : une attention sociale extraordinaire. Par exemple, une caresse pour un chien qui n'est jamais caressé, un regard affectueux pour un chien qui n'est jamais regardé...
- la récompense ludique : l'activité physique, les jeux. Par exemple, un jouet ou une balle de tennis qui focalise son attention, tout jeu grâce auquel il réalise des prouesses ;

- la possession, comme l'obtention d'un objet;
- la proximité d'un être d'attachement, comme le contact privilégié avec une personne aimée;
- la récompense symbolique. Je l'expliquerai plus loin.

## Le salaire du travail bien fait

Vous travaillez, vous obtenez un salaire, des honoraires ou des royalties. J'aime beaucoup la comparaison avec le salaire. Travailleriez-vous s'il n'y avait pas de salaire? Travailleriez-vous mieux si on augmentait votre salaire?

Imaginez que vous fassiez votre travail avec une grande conscience professionnelle. Vous venez de réaliser un travail dont vous êtes fier, et à juste titre. Soudain, sans que vous vous y attendiez, on ajoute une prime à votre salaire. Que penseriez-vous de cette situation? Outre la satisfaction du travail bien fait, vous avez le plaisir d'une prime financière et la reconnaissance par vos supérieurs que votre travail a été remarquable. Il s'agit d'une triple récompense.

De vous à moi, juste entre nous, ne pensez-vous pas qu'un chien mérite un salaire lorsqu'il travaille bien avec son éducateur? Et si le chien ne répond pas au salaire que vous lui proposez, ne pensez-vous pas qu'il faudrait changer de type de salaire ou tout simplement, l'augmenter?

## Le chien doit travailler

Puisque je parle de salaire et de travail, je dois ouvrir une parenthèse et discuter de l'éthologie du chien. Domestiqué depuis 15 000 ans, les chiens sont bien entendu très différents de leurs ancêtres loups. Pourtant, ils peuvent se reproduire ensemble, ce qui signifie qu'ils ont une génétique compatible. Et les loups marchent et courent des kilomètres tous les jours à la recherche de nourriture à se mettre sous la dent, ils s'organisent pour chasser, coordonnent les actions du groupe, hiérarchisent l'ordre d'accès à l'aliment, l'organisation de l'espace et les relations sociales. Que de tâches, que de travail !

Il n'y a pas si longtemps, la grande majorité des chiens… travaillait. Seules quelques races comme le bichon et le shih-tzu étaient exclusivement réservées à la compagnie. Tous les autres chiens travaillaient et recevaient un salaire : leur nourriture, la protection et l'affection de leur maître.

Actuellement, nous demandons à la grande majorité des chiens de ne rien faire. Ils doivent nous attendre sagement et patiemment, dans le salon ou la cuisine, jusqu'à ce que nous revenions à la maison, et cela sans aboyer, sans gratter, sans ronger et sans souiller. Alors, et seulement alors, ils doivent faire preuve de joie et d'excitation, mais s'arrêter selon notre bon vouloir.

Depuis des années, je répète que rien dans la vie d'un chien n'est gratuit : il doit travailler, mériter sa pitance, ses jeux, par exemple, en obéissant à quelques ordres simples. Travailler rend le chien plus agréable à fréquenter en société, mais surtout, permet à celui-ci de remplir ses besoins innés.

Je ferme ici la parenthèse sur ces deux notions fondamentales que sont la nécessité du travail et l'obligation d'un salaire adapté à ce travail.

## Peut-on leurrer un chien ?

Les humains travaillent pour des dollars, des euros ou des yens, des monnaies de papier qui symbolisent une valeur certaine, mais qui n'ont pas plus de valeur réelle que le papier dont elles sont faites. Je ne parle même pas de la monnaie électronique qui n'a d'autre représentation que des chiffres sur un écran ou dans un carnet de banque. Peut-on leurrer un chien avec un salaire symbolique ? Oui !

## La récompense symbolique

Une récompense symbolique est une information neutre, a priori sans intérêt ou sans valeur, qui a été associée à une récompense extraordinaire et qui signale l'arrivée éventuelle de cette récompense extraordinaire.

Dans le chapitre sur l'apprentissage du « couché », j'écris : « Pourquoi ne pas dire " bon chien ", " c'est bien ", clapper la langue dans la bouche ou claquer les doigts en faisant un bruit qui ressemblerait à " clap clap " ou " clic clic " en association avec la friandise ? C'est là que cela devient intéressant. » Pourquoi intéressant ? Parce que l'éducateur réalise un conditionnement classique. La friandise alimentaire extraordinaire entraîne de la salivation, une activation digestive, elle-même génératrice d'apaisement. Mais elle entraîne aussi, en même temps, de l'excitation, du désir, l'envie d'en faire plus, de la vigilance envers l'éducateur (ce qu'il fait et ce qu'il demande).

L'association d'un bruit, d'un message vocal, d'une onomatopée comme « clap clap » avec la friandise va secondairement déclencher les mêmes opérations involontaires. C'est le conditionnement classique. Ce « clap clap » ou ce « bon chien » vont activer le système digestif, la vigilance et la focalisation de l'attention sur l'éducateur.

À ce moment-là, et à ce moment-là seulement, le « bon chien » prend valeur de récompense. Encore faut-il qu'il soit exclusivement utilisé comme salaire symbolique et non dans la vie quotidienne, quand on parle entre humains ou quand on parle au chien.

Un exemple.

| Demande de l'éducateur | Comportement du chien | Récompense extraordinaire | Récompense symbolique |
|---|---|---|---|
| « Assis » | Le chien s'assied | Biscuit spécial | – |
| « Assis » | Le chien s'assied | Biscuit spécial | « C'est bien » |
| « Assis » | Le chien s'assied | – | « C'est bien » |

Le « c'est bien » est devenu une récompense symbolique.

Voici d'autres récompenses symboliques : les claquements de lèvres, les mots symboliques « bon chien », les « clics », les sifflements et les ultrasons qui ont été associés à une vraie récompense extraordinaire dans l'éducation de l'animal.

Seuls votre imagination et le côté pratique de vos récompenses vous limiteront dans vos découvertes…

## Quand récompenser un enfant de deux ans ?

J'aime comparer le chien et l'enfant de deux ans. Cette comparaison n'a d'autre valeur que de permettre de préciser quelques techniques éducatives. L'enfant de deux ans parle, peut dire 100 à 200 mots et commence à faire des phrases. Le chien ne parle pas, mais il peut comprendre, si on les lui apprend, de 20 à 50 mots de vocabulaire humain, par simple répétition, par conditionnement.

Quand un enfant de deux ans mange à table avec une fourchette et une cuillère, quand il demande à faire ses besoins dans un pot, quand il prononce correctement des mots ou des morceaux de phrases, à quel moment le parent ou l'éducateur doit-il le récompenser, lui dire « bravo » ou « c'est bien », lui faire un sourire, le caresser, lui faire un bisou et montrer son plaisir ? Après une heure ? Après cinq minutes ? Directement après l'acte désiré ? Pendant l'acte désiré ? Avant l'acte désiré ?

À votre avis ? Juste après l'acte. Fort bien !

Par exemple, si vous désirez que l'enfant de deux ans répète la phrase « Papa boit du café dans une tasse », quand allez-vous féliciter l'enfant ? Quand il répète toute la phrase, sans se tromper ? Quand il dit des fragments de phrase ? Quand il dit le dernier mot ? Qu'en pensez-vous ?

À deux ans, l'enfant dira « tasse ». Il répétera le dernier mot. C'est à ce moment qu'il faut le récompenser. Quelque temps plus tard, l'enfant dira « café dans tasse » et vous le féliciterez. Si vous attendez qu'il prononce la phrase entière, vous devrez probablement attendre une année de plus pour le récompenser et, sans récompense, sans valorisation, il aura sans doute cessé de parler bien avant.

## Quand récompenser un chien ?

La récompense doit survenir juste après l'acte ou la partie d'acte à valoriser, c'est-à-dire ce que l'on désire voir s'accroître en intensité et en fréquence.

Si vous désirez que le chien s'assoie à l'ordre « assis », vous devez le récompenser juste après qu'il se soit assis. Si vous attendez une minute de plus, ce n'est pas « assis » que vous récompensez, mais l'acte précédant la récompense, soit « rester assis » si le chien est resté en place sans bouger, ou « se lever » si le chien s'est déjà mis debout.

De même, si vous désirez récompenser une élimination sur un carré d'herbe dehors (alors que le chien urinait, par exemple, dans la maison), n'attendez pas d'être de retour à la maison, après cinq minutes, pour récompenser le chien et lui dire « c'est bien d'avoir uriné dehors ». C'est en *flagrant délit de bonne action* qu'il faut le récompenser, juste après l'acte.

## Faut-il récompenser pendant l'acte ?

On pourrait récompenser un chien pendant qu'il accomplit un comportement complexe. Dans ce cas, c'est la partie de l'acte qui précède la récompense qui est renforcée, et non l'acte en entier.

Pour une élimination, la séquence ne peut pas être divisée : on récompense après l'acte.

Pour une séquence compliquée, on peut récompenser progressivement des actes de plus en plus ébauchés, de plus en plus complets, de plus en plus complexes.

Par exemple, si on désire que le chien se couche, ensuite s'assoie, se recouche de nouveau, se mette sur le dos, se frotte le dos contre le sol, se relève et se rassoie, on peut récompenser séparément chaque acte, ensuite les mettre en séquence, puis récompenser les actes plus compliqués avant de se limiter à ne récompenser que la séquence complète. On appelle cela du « façonnement ». J'en reparlerai plus loin.

## Les techniques de renforcement

Pour tout comprendre de la récompense, voici quelques données importantes sur la vitesse d'apprentissage et la capacité de mettre les informations en mémoire.

La récompense, administrée *systématiquement* après chaque obéissance, permet *d'apprendre* un comportement.

Administrée de façon *intermittente,* une fois sur deux, une fois sur trois ou quatre, au hasard, la récompense permet de *mémoriser* l'ordre appris. Il y a donc deux étapes dans l'utilisation des récompenses.

1. Chaque fois que le chien a obéi.
2. De temps en temps, au hasard, quand le chien a obéi.

Ces deux étapes permettent de renforcer des éléments différents. La récompense systématique permet d'accélérer les apprentissages. Le chien apprend plus vite. La récompense intermittente, aléatoire, permet dans un second temps de mémoriser les apprentissages, ce qui leur permet de durer plus longtemps.

Il est donc faux de penser qu'un chien que l'on récompense n'obéira plus si on ne le récompense plus.

## Un chapitre essentiel

Ce chapitre sur la récompense, sur le renforcement positif, est essentiel pour éduquer un chien (ou éduquer un enfant, ou valoriser son conjoint, son personnel ou son patron...).

Seuls les comportements valorisés se maintiennent, s'accroissent, se multiplient. À tout moment, un chien, un enfant, un individu quelconque, émet tel ou tel comportement, réalise des opérations volontaires, tente de communiquer, de manipuler l'information ou l'environnement. Certains actes sont valorisés, d'autres ont des répercussions désagréables. Les comportements valorisés vont se maintenir.

# Le rappel

## Rien de plus aisé que d'apprendre le rappel

Rien de plus incertain aussi. Le chien a besoin d'activité. S'il en est privé, il profitera au maximum de sa liberté pour courir, pour entraîner l'éducateur dans un jeu de poursuite, pour revenir vers l'éducateur et repartir aussitôt.

Si le chien est fatigué, il reviendra plus aisément.

## Que signifient les mots « viens » ou « ici » ?

Je vous propose d'utiliser la même technique que pour l'« assis » et le « couché », soit le conditionnement opérant.

Il faut choisir le mot signal ; ce peut être « viens » ou « ici » ou un autre mot de votre choix. Il est très important de préciser avant d'entrer dans le processus éducatif ce que l'éducateur se représente par « viens » ou « ici ». C'est fondamental. L'éducateur veut-il que le chien se rapproche de l'éducateur ? Si oui, à quelle distance ? Ou bien, l'éducateur préfère-t-il que le chien s'approche de lui, s'immobilise en position debout puis assise ?

Je suggère que le « viens » ou « ici » corresponde à un rapprochement délibéré du chien en direction de l'éducateur avec immobilisation de l'animal à moins de deux mètres de lui.

Comme signal secondaire ou symbolique, je vous conseille de faire les mouvements suivants avec le bras : appliquer verticalement le bras contre le corps, la main contre la cuisse. L'avant-bras s'éloigne de la cuisse latéralement et revient frapper la cuisse. On répète le mouvement. Il correspond à ce que la plupart des gens font spontanément lorsqu'ils appellent leur chien ou leurs enfants : frapper dans les mains ou se taper la cuisse avec une main.

## Les premiers rappels au moment du repas

L'éducateur peut commencer les premières associations au moment du repas. Le mot « viens » ou « ici » devient un signal conditionnel pour une opération involontaire. Il prend non seulement une valeur de vocabulaire mais peut aussi déclencher toute une série de réactions en chaîne, en commençant par la salivation, l'excitation de recevoir un aliment et la vigilance accrue envers l'éducateur.

## La technique infaillible

La technique infaillible comprend six étapes.

1. Dire « viens » ou « ici » lorsque le chien revient spontanément près de l'éducateur. C'est évidemment très simple. Le chien apprend à associer son comportement volontaire avec un mot de vocabulaire.
2. Récompenser le chien dès qu'il vient près de l'éducateur et que l'éducateur a dit « ici » ou « viens ». Dès cette étape, le chien revient plus souvent et plus rapidement vers l'éducateur.
3. Attirer l'attention du chien, dire « viens » ou « ici » et le récompenser lorsqu'il vient à proximité de l'éducateur.
4. Associer le mouvement de bras à l'ordre verbal.
5. Donner la récompense de façon intermittente.
6. Associer la récompense-friandise à une récompense symbolique.

Il s'agit d'un simple conditionnement opérant avec récompense, comme nous l'avons définie dans le chapitre consacré à ce sujet.

## Qu'obtient-on ?

Avec ce conditionnement, on obtient un chien qui revient plus souvent et plus vite près de l'éducateur.

Le chien reviendra-t-il systématiquement dans 100 % des cas ? Non. Il ne faut pas rêver. De nombreuses informations dans l'environnement sont bien plus intéressantes que l'éducateur. La vue d'un lapin, l'odeur d'un chevreuil ou le miaulement d'un chat sont autant de distractions.

Que fait le chien en présence d'une information qui stimule ses réactions biologiques, ses instincts ? Il réagit de façon prioritaire aux stimulations biologiques et de façon secondaire aux signaux de l'éducateur. En effet, à la vue d'un lapin qui court, le chien est complètement focalisé sur ce stimulus. Il ne reçoit plus les autres informations. Il n'entend plus l'éducateur, il est devenu sourd à son appel. Seule une information forte permettrait de le détourner de son but : courir après ce lapin.

Dès lors, il ne désobéit pas à l'éducateur puisqu'il ne l'entend pas.

## Quand récompenser le chien qui revient ?

Il convient de récompenser quand le chiot ou le chien adulte revient, que ce soit immédiatement ou après une demi-heure, mais dès son retour.

| Résumé | | |
|---|---|---|
| Le chien revient près de vous | « Ici » | Récompense |
| Le chien revient près de vous + « Ici » | Récompense | |
| « Ici » | Le chien revient près de vous | Récompense |
| Tapotement du bras + « Ici » | Le chien revient près de vous | Récompense |
| Tapotement du bras (sans rien dire) | Le chien revient près de vous | Récompense |
| Tapotement du bras (sans rien dire) | Le chien revient près de vous | Récompense de temps en temps |
| Tapotement du bras (sans rien dire) | Le chien revient près de vous | Récompense de temps en temps + récompense symbolique : « clic », « c'est bien »… |
| Tapotement du bras (sans rien dire) | Le chien revient près de vous | Récompense symbolique : « clic », « c'est bien »… |

## Interdit de… punir !

Il est strictement interdit de punir, de corriger, de parler d'une voix forte, d'être en colère lorsque le chien revient, même après une demi-heure. Je sais, il est tout à fait naturel pour l'éducateur d'être en colère lorsqu'il a longtemps attendu son chien, lorsqu'il a eu peur de le perdre parce que le chien s'est mis à poursuivre un lapin ou la piste d'un chevreuil. C'est naturel et c'est normal. Mais c'est aussi contraire aux bons principes éducatifs.

Si le chien voit l'éducateur irrité, il ne reviendra pas. Et je vous affirme qu'il le voit. Il le perçoit au langage corporel de l'éducateur : il est penché en avant, ses gestes sont saccadés, il serre les poings... Le chien le perçoit à plusieurs mètres, voire à plusieurs dizaines de mètres. Et s'il revient, ce sera pour s'arrêter à trois mètres et refuser de venir au contact de l'éducateur.

Il est inutile que l'éducateur tente de faire croire au chien qu'il n'est pas en colère lorsqu'il est irrité. Le chien le percevra quand même. Il vaut mieux alors se détourner du chien, l'appeler d'une voix douce, ne pas le regarder, le récompenser avec une friandise, l'attacher à la laisse sans brusquerie et s'en aller.

## Trucs et astuces du rappel

- Si l'éducateur craint que le chien ne soit distrait, il commencera les premiers exercices de rappel dans un endroit neutre, clôturé et isolé.
- Si l'éducateur craint que le chien ne soit pas intéressé par les friandises, il réalisera les premiers exercices de rappel avant le repas.
- Si l'éducateur craint que le chien ne soit trop excité pour obéir aux exercices de rappel, il débutera les exercices avec récompense après que le chien ait dépensé ses excès d'énergie et au moment où il commence à être fatigué. Il obtiendra ainsi plus de réponses positives à ses demandes.
- Si le chien ne revient pas à la demande, qu'il regarde l'éducateur à distance, je propose à celui-ci de s'éloigner du chien, éventuellement en courant. La course est très excitante pour un chien ; il se fera une joie d'entrer dans un jeu de poursuite et de se rapprocher de l'éducateur d'autant plus rapidement. L'éducateur peut aussi se cacher derrière un arbre. C'est un truc infaillible : le chien vient à sa recherche, jouant à cache-cache.
- Pour les chiens qui s'éloignent à grande distance de l'éducateur, il peut être intéressant d'associer à l'appel « viens » ou « ici » un sifflement ultrasonore, signal audible de très loin.

- Si l'éducateur appelle le chien, l'attache à la laisse et s'en va systématiquement de la zone de promenade en liberté, le chien associera le rappel avec une perte de liberté. Il risque de ne pas revenir. Je conseille plutôt de réaliser un rappel, de récompenser le chien, de le faire asseoir et de le renvoyer au jeu plusieurs fois. De cette façon, le rappel n'est pas conditionné à l'arrêt des plaisirs de la liberté.

## De l'usage de la ficelle

Il est habituel d'éduquer le chien au rappel en l'attachant à une longue laisse très légère, une ficelle d'une dizaine de mètres ou une laisse à enrouleur.

Que penser de cette technique ?

- Elle empêche le chien de partir à son gré derrière une proie éventuelle.
- Elle permet de rapprocher le chien de l'éducateur à la force des bras.
- Elle sanctionne le chien qui s'enfuit à toute allure et qui, arrivant en bout de corde, est retenu de force, voire violemment ; ou elle sanctionne l'éducateur qui reçoit une violente secousse dans la main.
- Elle permet de réaliser les exercices de rappel lorsque l'éducateur craint de lâcher le chien. C'est bien entendu utile pour les chiens fugueurs mais aussi pour les chiens qui ne disposent pas d'espace de liberté ou d'espace de sécurité clôturé.

## De l'incertitude du rappel

Quoi que fasse l'éducateur, il n'y a aucune certitude quant au retour systématique du chien au rappel. Le chien est un individu libre, doté de volonté et influencé, nous l'avons vu, par les nombreuses informations de son environnement. Il n'est pas étonnant que certaines soient plus intéressantes qu'un ordre de rappel.

Comment l'éducateur peut-il se rendre plus intéressant, plus passionnant qu'un chien étranger à saluer ou à agresser, qu'une odeur de chevreuil, qu'un écureuil qui bondit dans un arbre, qu'une mouette qui s'envole sur la plage, qu'une grenouille qui croasse dans un étang, qu'un cycliste qui pédale, que des enfants qui jouent au ballon... ? Je n'ai pas la réponse.

Quoi qu'il en soit, l'éducateur doit récompenser le chien dès son retour.

## De l'usage des appareils

Mais de quels appareils ou gadgets est-il question ?

J'élimine d'emblée les colliers électriques à commande à distance, je les trouve barbares. Je parle du collier à jet d'air comprimé télécommandé. Voici comment il fonctionne.

L'éducateur et son chien sont en forêt. Le chien est loin de l'éducateur, distrait par l'odeur d'un chevreuil. L'éducateur a appelé son chien (déjà bien éduqué), qui ne l'a pas entendu et donc ne répond pas à sa demande. Il presse sur le bouton de la télécommande et le collier fixé au cou du chien envoie vers son menton un jet d'air comprimé.

Rien de plus anodin. Cela ne cause aucune douleur, mais suffit pour distraire le chien de son activité de reniflement. À ce moment, l'éducateur appelle le chien, qui se retourne et le regarde. L'éducateur se rend intéressant, appelle le chien une nouvelle fois, tape sa cuisse avec sa main, fait mine de s'en aller. Le chien revient vers lui à vive allure. L'éducateur le fait asseoir et le récompense.

Cet appareil envoie une information distrayante, qui coupe pour quelques fractions de seconde l'activité du chien. On parle scientifiquement de stimulus disruptif. Si l'éducateur ne fait rien d'autre que d'appuyer sur le bouton de la télécommande, le chien reprend son activité de reniflement là où il l'avait laissée.

## Facile mais incertain

Je reviens sur ces deux mots en conclusion de ce chapitre. Le rappel, c'est-à-dire le fait de conditionner un chien à revenir à la demande, est vraiment très facile à apprendre. Mais il restera toujours une petite incertitude sur… le moment du retour!

# Les corrections

## Correction, punition ou sanction ?

Ces trois mots sont très semblables et pourtant, ils ont un sens un peu différent. Je préfère le mot « correction » parce qu'il sous-entend l'idée positive que l'on dirige le chien correctement. En revanche, le mot « punition » a des bases scientifiques. Il est utilisé en psychologie expérimentale avec un sens différent de son utilisation en psychologie populaire, qui comprend l'idée de justice, de vengeance, de moralité et de procédure. L'animal est jugé et puni, et son juge le sanctionne. Mais l'animal a-t-il droit à une défense ?

## Une culture de la punition

Curieusement, notre culture a érigé en règle l'utilisation de la punition dans l'éducation, que ce soit l'éducation d'un enfant, d'un automobiliste ou d'un chien, et la répression est la technique souveraine. Pourtant, elle est inefficace à long terme.

## Les effets temporaires de la correction

La correction n'est pas efficace à long terme, la répétition des corrections, non plus. Pourquoi ? Parce qu'elle n'a jamais permis l'apprentissage de nouveaux comportements, de nouvelles stratégies. Le chien, limité dans la production de ses comportements, ne pourra rien faire d'autre que de les répéter, de récidiver, tant qu'il n'aura pas appris à se comporter autrement, à se comporter mieux. Et il n'apprendra à mieux se comporter qu'à l'aide de récompenses.

## La correction, la punition en éducation

Je vous donne ici la définition scientifique de la punition. *La punition est une stimulation (quelle que soit cette stimulation) qui permet de réduire l'apparition d'un comportement.*

Le comportement est atténué, c'est-à-dire diminué en fréquence, en intensité et en durée, selon le cas. Une punition entraîne « moins de comportement ».

Je vais prendre un exemple paradoxal. Si vous dites « bon chien » à votre chien quand il s'assied et que cela le fait s'asseoir moins vite, moins souvent, moins longtemps à la demande, alors « bon chien » est une punition. C'est paradoxal parce que personne ne s'imagine que dire « bon chien » puisse être une punition. Et pourtant, c'est bien le cas.

La punition est une stimulation désagréable ; le chien ne désire pas la subir une nouvelle fois et donc reproduit le comportement puni moins souvent ou moins fort. Pour être efficace, la punition imitera au mieux les comportements punitifs des chiens entre eux.

Je vais utiliser les mots « correction » et « corriger » qui engendrent moins de représentations populaires négatives.

Corriger est une *technique éducative* qui présente des *règles précises.*

## Quelles corrections ?

La seule véritable correction est celle qui est efficace. Attention ! L'efficacité sur le comportement doit être réelle mais ne pas casser le lien d'attachement, ni créer des émotions négatives de longue durée.

Donc, la seule correction valable est celle qui est efficace sur un comportement spécifique, sans influencer l'émotion, l'affection et la relation avec l'éducateur.

## Quelle sera la correction efficace pour votre chien ?

Il existe plusieurs sortes de corrections. En voici quelques exemples.

- Un contact désagréable ou douloureux : une intervention corporelle sur le chien, comme le ferait la mère, par exemple, une morsure contrôlée à la face ou au cou. Par extension, une claque sur le nez, sur la face, sur les oreilles, une prise en main de la peau de la nuque avec abaissement du chien vers le sol. En s'éloignant de plus en plus de la correction maternelle, on peut envisager une claque ou un coup avec un objet, une violente traction de laisse sur le collier étrangleur, etc.
- Une expression vocale et ritualisée : un grognement de menace type dominant. Par extension, une engueulade, un « non » à voix forte et grave.
- Un stimulus social et affectif : un retrait social, une mise « hors jeu », hors du groupe, en isolement temporaire, pour un chien qui recherche la compagnie sans arrêt.
- Une correction symbolique.
- Une correction à l'aide d'un appareil.

## La technique de correction éducative

La correction doit être systématique.

Elle est administrée pendant un acte fautif ou intolérable, *en flagrant délit* de mauvaise action.

## Règles

1. Corriger pendant l'acte délictueux (une seconde après l'acte, c'est trop tard).
2. Corriger sans colère (la colère engendre peur ou irritabilité).
3. Corriger sans rien dire, sauf « non ».
4. Corriger physiquement : les chiens se mordent le cou et les oreilles, faites donc de même, c'est très efficace (bien que pas toujours pratique). Alors empoignez le chien par la peau du cou et forcez-le à se coucher ou à se retourner en position de soumission.

## Pourquoi faut-il corriger le plus vite possible ?

Si le comportement n'est pas corrigé, cela signifie pour le chien qu'il est acceptable. Si un chien ronge un canapé pendant cinq minutes avant l'intervention de l'éducateur, il se fait du bien ; il est donc récompensé. La non-intervention est une récompense. S'il est corrigé par la suite, il est souvent trop tard et la correction risque d'être insuffisante par rapport aux bénéfices retirés du grignotage.

Si le chien commet un délit en votre présence sans réaction immédiate de votre part, c'est que vous lui donnez l'autorisation de commettre des délits. Une punition tardive lui signifierait que vous ne savez pas ce que vous voulez. Vous émettez un double message : « Oui, puis non. » Comment peut-il s'y retrouver ?

Dans les cas où le chien émet des comportements désagréables, comme tirer sur la laisse, aboyer ou ronger un meuble, il est dans un état d'excitation croissante. Plus la correction est tardive, plus il faudra d'énergie (et donc une correction de plus en plus forte) pour contrer l'excitation du chien.

Si une claque suffisait pour arrêter une infraction en début de comportement, il est possible qu'au milieu ou en fin de comportement, cette même claque ne soit pas du tout ressentie comme une correction, mais bien comme une irritation supplémentaire, une entrée en conflit, une menace. Elle risque d'amplifier l'excitation ou la colère du chien, aggravant dès lors tout le problème ou provoquant de l'agressivité.

## Comment corriger un chien qui fait des bêtises quand il est seul ?

C'est tout simplement impossible de façon directe. Il faut recourir à la technologie, par exemple faire surveiller le chien par un réseau de caméras vidéo et lui faire porter un collier à jet d'air comprimé (voire à décharge électrique) déclenché à distance par une télécommande.

Corriger le chien au retour de l'éducateur à la maison n'a aucun sens. Cela corrige le dernier acte du chien, à savoir… l'accueil de l'éducateur. Pas étonnant que le chien l'accueille par la suite de moins en moins. Éventuellement, le chien se cache ou prend une posture basse de soumission à l'arrivée des gens.

## Quelle doit être l'intensité de la correction ?

L'intensité adéquate de la correction est celle qui permet d'arrêter immédiatement le comportement.

C'est simple et c'est compliqué, parce que cela change d'un chien à l'autre. Apprenez à connaître votre chien et déterminez quelle est l'intensité adéquate de la correction pour chaque comportement nuisible, chaque forfait, chaque infraction, chaque acte de délinquance.

## Faut-il accroître ou diminuer l'intensité de la correction ?

C'est encore un procédé courant et inefficace que d'augmenter progressivement l'intensité de la correction : on dit « non », on crie, on donne une petite claque sur le dos, ensuite on prend un journal, on frappe, on se met en colère, on hurle, etc.

La punition d'intensité progressive est peu efficace. En fait, l'excitation du chien monte parallèlement à celle de l'éducateur, en complète résonance. C'est à celui qui criera le plus fort, et le chien est presque sûr de gagner !

Il faut donc commencer par une correction d'intensité appropriée, assez forte, suffisante pour arrêter net un comportement (c'est la définition). Ensuite, des interventions de plus en plus modérées seront suffisantes, jusqu'à la correction symbolique.

## La correction symbolique

La correction réelle est physique, désagréable et surtout efficace. Une correction symbolique est une information a priori neutre qui a été associée à une correction réelle.

| Nuisance | Correction | Correction symbolique | Le chien |
|---|---|---|---|
| Le chien aboie sans raison | Claque sur le nez | – | Se tait |
| Le chien aboie sans raison | Claque sur le nez | Sifflement | Se tait |
| Le chien aboie sans raison | – | Sifflement | Se tait |

Le sifflement est devenu une correction symbolique. C'est un simple conditionnement classique.

Une claque sur le nez, dont l'intensité est proportionnelle à la taille et à la sensibilité du chien, est désagréable. Quand le chien commence à aboyer sans raison, la claque, donnée par surprise, est efficace. Le chien se tait. En même temps, il regarde l'éducateur d'un air étonné, les yeux grands ouverts. Il baisse le corps et les oreilles (posture basse d'apaisement) afin de signaler à l'éducateur d'arrêter la correction.

Si l'éducateur siffle, cela n'entraîne aucun inconfort chez le chien (sauf sans doute s'il siffle mal et produit des sons discordants!)

Si l'éducateur siffle en même temps qu'il donne une claque sur le nez du chien, ce sifflement devient le message symbolique de la claque sur le nez. Après plusieurs répétitions, le sifflement produit tous les effets de la claque sur le nez et celle-ci n'est plus nécessaire. En effet, lorsque l'éducateur siffle, le chien prend une posture d'apaisement.

Bien entendu, l'éducateur ne peut plus siffler (avec les mêmes sons) dans la vie quotidienne. En revanche, il peut utiliser un sifflement particulier comme récompense symbolique, un sifflement différent de celui de la correction. Mais pour cela, l'éducateur doit être très compétent en sifflement et le chien apte à différencier les deux sons.

Voici d'autres corrections symboliques: les claquements de lèvres, les claquements de mains, les mots symboliques « mauvais chien » et les « clics » qui ont été associés à une correction réelle dans l'éducation de l'animal.

On ne peut pas s'attendre à une bonne correction symbolique chez un chien débutant.

## Le « non » est-il efficace?

Qu'est-ce que le « non »?

En psychologie populaire, c'est une interdiction, une demande d'arrêt, la négation d'une demande, un refus. En éducation populaire, on dit « non » d'une voix forte pour tenter de mettre fin à un comportement. Non seulement on a une voix forte, mais on porte la tête en avant, on prend un air renfrogné, on fronce les sourcils, un pli vertical apparaît entre eux, bref, on est fâché même si on n'est pas vraiment en colère. Le « non » est accompagné d'une mimique de menace.

Si le chien ne voit pas la mimique de l'éducateur, que pourrait signifier ce « non »?

Prononcé d'une voix forte, il ressemble à un aboiement sec et court, comme un aboiement de menace d'un chien dominant envers un dominé. Si l'éducateur est dominant sur le chien, le « non » pourrait être efficace comme correction. Si l'éducateur est dominé, le « non » sera une menace dont le chien pourrait « rire » ou qu'il pourrait prendre au sérieux. Dans ce cas, le chien pourrait, en représailles, agresser l'éducateur.

Le « non » prononcé d'une petite voix aiguë est comme un jappement de recherche ou de don d'attention. Il deviendrait alors une récompense.

Mais le « non » associé à une correction réelle devient facilement une correction symbolique et dès lors, il ne faut plus le crier ou être dominant pour qu'il soit efficace.

Autant le savoir !

## Les questions pertinentes

### Peut-on frapper un chien ?

Une claque retentissante est parfois bien salutaire. Encore faut-il que la claque ne soit pas une caresse, car elle deviendrait récompense. Il faut donc l'adapter à l'âge, au gabarit et à la personnalité de votre chien.

Mais attention ! Frapper un chien avec un bâton ou un journal n'est guère utile. Avez-vous déjà vu un chien en corriger un autre à l'aide d'un objet ?

Mais cette question pose le problème de l'éthique de chaque personne. Un éducateur dira avec justesse qu'il n'a pas acquis un chien pour le frapper. C'est tout à fait légitime. Il faudra alors trouver d'autres corrections efficaces.

Les chiens entre eux sont très physiques, ils se « rentrent dedans », ils s'agressent. Les chiens adolescents en quête de dominance se battent, se mordent et se blessent jusqu'à ce que l'un des deux protagonistes utilise des postures de soumission. C'est nécessaire. Les combats se répètent et deviennent de moins en moins violents, de plus en plus diplomatiques, c'est-à-dire qu'ils utilisent les postures de dominance et de soumission qui sont respectivement des apaisements et des corrections symboliques ritualisées.

### Se défouler ou éduquer ?

Corriger ne sert pas à se défouler, à se libérer de sa colère, ou même à faire mal dans l'intention de faire mal. Corriger est éducatif et sera juste et approprié. Une claque sur le museau, retentissante mais peu douloureuse, sera efficace parce que surprenante, immédiate et désagréable.

### Peut-on corriger un chien de la main ?

Les chiens se lèchent et se mordent avec la même gueule. Dès lors, vous pouvez sans crainte caresser et corriger de la même main. Le chien le comprendra très bien.

Il serait préférable d'utiliser la bouche pour mordre et lécher le chien. Mais c'est vraiment peu agréable, quoique très efficace avec un chiot. Un chiot mordu dans son jeune âge aura tendance à respecter toute sa vie l'éducateur qui l'a mordu.

## La peur de la punition

Le chien puni craint l'éducateur. Il obéit parfois, non par envie de satisfaire l'éducateur et de se faire plaisir (récompense) mais par crainte d'une violence.

Le chien apprend à « bien agir » parce qu'il anticipe — avec peur — cette punition et pour éviter qu'elle ne se reproduise dans le même contexte. C'est ce qu'on appelle un renforcement négatif, mais qu'importe le terme scientifique !

Si on ne peut pas échapper à une punition (par définition), on peut anticiper et éviter un renforcement négatif. Ainsi, menacer un chien d'un journal roulé n'est pas une punition, c'est un renforcement négatif, pour autant que le chien réduise le comportement que l'on désirait atténuer. Mais c'est devenu un renforcement négatif uniquement parce que le chien a eu auparavant des punitions corporelles ou vocales associées au journal, ou tout autre objet nécessitant de lever le bras.

Ainsi, un chien peut ne plus tirer en laisse parce qu'il se souvient de tractions violentes de la laisse sur son collier. Il n'obéit pas par envie de marcher au pied, mais par peur d'un désagrément. Ce n'est bien entendu efficace que dans un rapport — une ambiance — d'autorité et de force, pas dans un rapport de convivialité et de collaboration. Dans ce dernier cas, la technique par récompense est la plus efficace.

## Une correction ne peut entraîner de la peur

Une correction ne peut pas engendrer de la crainte ou de la peur. Elle réoriente le comportement du chien très rapidement, si possible même avant qu'il n'ait mal agi. Ensuite, le comportement adéquat est récompensé.

## Mon éthique

L'éthique est un code de morale que chacun se doit d'avoir. Elle peut être personnelle, professionnelle, institutionnelle. C'est l'ensemble des règles de morale que l'on impose à soi-même, à son travail, à son institution. À chacun de définir son éthique à propos de la correction.

La mienne est basée sur l'apprentissage différentiel, ce qui signifie que j'utilise avec discrétion récompenses et corrections. Je rappelle une nouvelle fois que le monde occidental a basé ses techniques d'apprentissage sur la coercition et la punition, et que la récompense ne constitue qu'environ 20 % des méthodes éducatives.

Je propose de faire l'inverse : utiliser la correction à 20 % et la récompense à 80 %. C'est ma méthode, et elle est efficace.

## Les corrections par objet interposé

L'homme utilise des objets. L'humain est un être technologique. Pas étonnant qu'il ait inventé des technologies pour punir.

La *trappe à souris* est un engin d'utilisation variable. Une fois enlevé le crochet qui pourrait blesser, la trappe devient un objet inoffensif pour des chiens de plus de 5 à 10 kilos. Réparties autour d'un objet à protéger, les trappes pinceront la patte ou le museau du chien qui s'en approche. C'est une façon de lui apprendre à ne pas voler le steak sur la table de la cuisine !

Toutefois, il serait non seulement préférable que le chien reconnaisse le steak comme appartenant au dominant et qu'il le respecte, mais aussi important de traiter la boulimie qui cause le vol de steaks.

La trappe a cependant un bon côté : elle ne nécessite aucune présence et permet à l'objet défendu de se protéger tout seul.

Attention, certains chiens s'amusent à faire sauter les trappes.

Le *collier électrique,* qu'il soit déclenché par l'aboiement du chien (collier anti-aboiement) ou par une télécommande dans les mains de l'éducateur, est une technique plus violente et douloureuse que je n'approuve pas. Si l'intensité est trop faible, l'excitation ou l'agressivité du chien augmente. L'éducateur s'attend aussi à avoir un effet immédiat du type « tout ou rien » alors que la correction, nous le savons, agit parfois en réduisant un comportement progressivement. L'éducateur intensifie alors la décharge. Si l'intensité est trop forte, le chien développe des peurs paniques dans les lieux où il a reçu une décharge.

La question importante est de savoir ce que le chien associe à la douleur de la décharge électrique. Si le chien aboie après des enfants, la douleur sera-t-elle associée à sa désobéissance (à l'éducateur qui disait « non ») ou à l'enfant ? L'aboiement ne risque-t-il pas de se transformer en attaque ? Cela a déjà été observé.

Le *collier à jet d'air comprimé* (avec télécommande) est une technique de distraction plus que de correction. En cas de nuisance, l'éducateur presse sur le bouton de la télécommande et cela produit un jet d'air comprimé sur le menton du chien. Cela distrait le chien un court instant. Il devient alors plus réceptif à un ordre de la part de son éducateur. Le chien, si et quand il produit le comportement adapté, doit être récompensé. Si l'éducateur ne lui demande rien, le chien reprend ses activités et ses nuisances là où il s'était arrêté.

La *clôture invisible*. Un fil métallique conducteur est enterré autour de la propriété. Quand le chien s'approche de ce fil, un son se fait entendre. S'il continue et franchit le fil, il reçoit, par le biais d'un collier spécial, une décharge électrique. Ce double processus — annonce de la correction et punition réelle — est un processus efficace… pour certains chiens. D'autres tendent les muscles et sautent au-dessus du fil.

## Conclusion

Pourquoi avoir tant insisté sur les corrections alors que, somme toute, on les utilise uniquement dans certains cas et avec précaution ? Parce que la correction, la sanction et la punition sont utilisées de façon excessive dans de nombreuses écoles de chien dans le monde entier. Cette technique de dressage habituelle nécessitait de « casser » le chien pour le faire obéir. Les techniques d'éducation ont fait des progrès considérables et les corrections sont de moins en moins utilisées. Elles occupent seulement 20 % du processus pédagogique.

# La marche en laisse

## Une question importante

Qui tient la laisse ?

La laisse ayant deux extrémités, une attachée au chien, l'autre à l'éducateur, la question est pertinente. Qui dirige la promenade ? Qui promène qui ? Amusez-vous à observer ce qui se passe dans la rue. Vous verrez de nombreux chiens promener leur éducateur. C'est une observation sans malice. Et au fond, pourquoi pas ? La promenade n'est-elle pas un plaisir commun et convivial ?

Mais il ne faudrait pas qu'elle se fasse au détriment de l'éducateur. Elle devient dangereuse si un enfant, une personne âgée ou une personne menue est obligée de courir derrière son chien, glissant à plat ventre sur le sol après une embardée de l'animal.

Selon l'éducateur, la marche en laisse a deux objectifs.

1. Pouvoir contrôler le chien lors de la promenade.
2. Faire marcher le chien au pied de l'éducateur quelles que soient les circonstances.

## Besoin d'exercice et marche en laisse

Le principe de la marche en laisse est simple : le chien marche aux côtés de l'éducateur sans se laisser distraire par tout ce qui se passe autour de lui. Ce n'est pas évident, car la promenade est aussi une découverte, un plaisir, une reconnaissance des traces laissées par d'autres et un besoin de se dépenser.

Imaginez un chien qui ne peut jamais courir libre, jamais se défouler dans un parc clôturé, sur une plage, dans un espace libre adapté à sa taille et à ses besoins physiques! Si ce chien marche en laisse sans tirer, il souffre de dépression ou d'hyperattachement! Sinon, c'est impossible qu'il reste au pied de son éducateur.

La marche en laisse n'est possible qu'avec un chien qui a déjà assouvi ses besoins physiques de courir et de se dépenser. Elle est donc plus aisée au retour d'une promenade d'une heure qu'au départ de la maison.

## Un compromis

Un peu d'indulgence est nécessaire. La promenade n'est pas un exercice militaire, mais un plaisir commun. La marche au pied exige énormément de concentration. Elle doit se limiter à des périodes de une à trois minutes, le reste étant constitué de balade conviviale, de marche polie, où l'on permet au chien de s'oxygéner et de capter tous les messages olfactifs et visuels.

Je propose parfois de faire 50 mètres de marche en laisse, le chien suivant son éducateur, et 50 mètres de marche libre, l'éducateur suivant son chien. Chaque segment de 50 (ou 100) mètres peut être ponctué par un mot clé, par exemple « marche en laisse » ou « au pied » et « marche libre ».

## L'éthologie vient à notre aide

L'éthologie — la science du comportement des animaux en milieu naturel — nous explique que lors des déplacements d'une meute, un chien guide le groupe. Ce chien-guide n'est pas toujours l'individu dominant ; c'est parfois l'individu le plus expérimenté, mâle ou femelle, mais généralement femelle. Ce chien-guide connaît les chemins.

Bien entendu, si la meute parcourt les mêmes sentiers jour après jour, tous les chiens se souviendront de la trace et des passages, et ils n'auront plus besoin du chien-guide.

La marche en laisse est possible tant par l'humain dominant du groupe que par un éducateur indépendant de la famille.

La marche en laisse sera plus aisée dans des lieux inconnus et des espaces à découvrir. Elle sera donc plus facile si vous changez régulièrement le parcours, même en terrain connu, si vous inversez au hasard les changements de direction, à gauche ou à droite ou en faisant demi-tour. Le chien sera plus vigilant à vos mouvements.

## Être dominant, cela aide-t-il ?

Si vous êtes reconnu comme l'individu dominant du groupe social, si le chien reconnaît directement votre assurance, votre confiance en vous, il prendra des postures de soumission : oreilles et queue basses. Le chien dominé sera vigilant au moindre mouvement du dominant et il obéira avec facilité.

Être dominant ne pose donc guère de problèmes. Plusieurs techniques éducatives sont à votre disposition. En voici deux, la première ayant ma préférence.

1. Parler beaucoup pour attirer l'attention du chien sur l'éducateur. Pour tester votre habileté, attachez le chien avec une simple ficelle. La laisse est symbolique, c'est votre personnalité qui doit captiver le chien, pas la laisse qui doit le retenir de force près de vous. Encouragez le chien, félicitez-le et récompensez-le de rester à vos côtés.
2. Corriger quand le chien vous dépasse ou s'égare sur les côtés. Pour corriger, vous avez le choix entre (A) la traction de laisse et (B) la claque sur le cou, le dos, voire les fesses (à l'aide de votre main, d'une badine ou de l'extrémité libre de la laisse).

## Faut-il corriger en tirant sur la laisse ?

Tirer sur la laisse ou ne pas le faire est un sujet important, car presque toutes les écoles d'éducation l'utilisent, même si ce n'est pas la méthode de choix.

Comment effectuer une traction sur la laisse ?

Beaucoup d'éducateurs tirent dans le sens contraire de la marche du chien : le chien tire en avant, l'éducateur tire en arrière. Si un chien de 20 kilos tire à une vitesse de 20 kilomètres à l'heure, soit environ 5 mètres à la seconde, vous aurez besoin d'une force de 100 kilos juste pour le retenir.

Autant dire qu'il faut être fort ou très rapide, car un simple geste de traction du bras suffirait-il à produire une force de 100 kilos ? Et si votre bras pesait 5 kilos, il vous faudrait une vitesse de traction de 100 km/h pour compenser.

De plus, la traction en sens inverse a comme point d'appui la trachée du chien ; il y a des risques de traumatisme aigu ou de traumatisme chronique et répétitif à la trachée.

Cette technique est désuète, non ? Que faire alors ? Il faut tirer perpendiculairement à l'axe du chien. Si le chien tire vers l'avant, il faut tirer à 90 degrés, à angle droit, sur le côté. Pour cela, il faut tenir la laisse dans la main opposée au côté de marche du chien. Si vous êtes droitier, le chien marche à votre gauche : tirez la laisse de la main droite, en la déplaçant du centre vers la droite. De cette façon, comme en judo, vous utilisez la force de l'adversaire à votre profit. Plus le chien tire, plus vous aurez de force.

La traction sur la laisse, attachée à un collier coulissant, est une méthode punitive. Comme avec toute punition, il faut commencer vigoureusement et continuer en intervenant de plus en plus doucement. Finalement, de légères tractions seront suffisantes pour donner au chien une information, non plus punitive et négative, mais de correction symbolique. Vous pourrez enfin guider le chien par des informations pertinentes données en bout de laisse.

## Quand réaliser une traction sur la laisse ?

J'insiste sur la rapidité d'exécution. Un bon éducateur intervient et corrige le chien avant même qu'il ait mal agi. Un éducateur un peu moins efficace interviendra quand le chien aura déjà commencé à agir de façon inadéquate ou incorrecte. La différence tient à une fraction de seconde. Alors, n'ayez pas de complexe. Essayez d'être en symbiose avec votre chien et de pressentir ce qu'il va faire. Corrigez-le gentiment, avant même qu'il se soit mal comporté.

Autant dire que l'apprentissage de la marche en laisse n'est pas… une promenade !

## Quelle laisse, quel collier ?

Il existe de multiples systèmes pour éviter que le chien ne tire en laisse : le collier fixe ou coulissant en cuir, en nylon, en anneaux métalliques, la bride faciale ou collier « chien gentil », le harnais anti-traction, le collier à pointes (que j'interdis, mais que certaines personnes fluettes sont obligées d'utiliser avec des chiens volumineux).

Le plus simple est encore le collier de cuir ou de métal aisément coulissant, la laisse en cuir ou en nylon. La bride faciale est intéressante pour les gens qui ne désirent pas se lancer dans l'apprentissage de la marche en laisse mais qui veulent néanmoins contrôler leur chien. Il est interdit de faire des tractions sur une bride faciale, au risque de générer des lésions à la colonne cervicale.

## Que penser des laisses à enrouleur ?

Elles sont responsables de nombreux accidents. Le chien tourne autour des arbres ou des jambes des propriétaires causant chutes et fractures, il se jette sur la route entre les voitures et peut se blesser ou blesser les autres.

## La marche sans laisse

Qui peut être sûr à 100 % du comportement de son chien, et de pouvoir le contrôler à tout moment. Le chien ne fera-t-il jamais d'écart en voyant un chat, un enfant en patins, une personne à vélo, un autre chien qui le menace ou l'agresse, un cheval?

Seul un chien inhibé, infantile et hyperattaché à son maître, ou en dépression aiguë (ou un chien en peluche!) ne fera pas d'écarts imprévisibles. Tous les êtres vivants autonomes sont susceptibles de se comporter de façon brusque, inattendue, insouciante et irréfléchie. C'est normal. Le port de la laisse en promenade est donc une chose utile pour la sécurité du chien.

Cela étant dit, certains chiens peuvent apprendre à marcher sans laisse, au pied. Soit dit en passant, une bonne assurance accident est nécessaire pour couvrir les risques liés à l'accident éventuel dont le chien serait victime et les risques liés aux accidents que le chien pourrait provoquer.

Quelle est la technique? Elle est très simple. Dans un premier temps, l'éducateur remplace la laisse par une ficelle extrêmement légère et encourage le chien à marcher à ses côtés, sans le dépasser.

Dans un second et dernier temps, la ficelle est supprimée.

## Marche en laisse et assis avant la traversée de la chaussée

Quand vous vous promenez en ville avec votre chien, c'est agréable lorsqu'il ne traverse pas les rues sans votre autorisation. Lui apprendre à s'asseoir à chaque carrefour est donc utile.

C'est un apprentissage simple qui combine la marche en laisse et l'assis; on demande en effet au chien de s'asseoir avant chaque traversée de la chaussée.

L'éducateur s'arrête au croisement, regarde le chien, lui dit « assis » ; le chien (qui a déjà appris l'« assis ») obtempère et reçoit une friandise.

Comme vous le constatez, la technique de l'apprentissage de l'assis s'applique ici. L'assis est récompensé systématiquement. Après une cinquantaine de répétitions d'arrêts avec assis à chaque croisement, un automatisme s'installe et le chien s'assied quasiment spontanément. À ce moment, la récompense devient intermittente puis symbolique.

Cette technique est bien entendu encore plus intéressante lorsque le chien se promène sans laisse. Il est indispensable de pouvoir le contrôler, particulièrement à chaque traversée de la chaussée.

## Conclusion

La marche en laisse :

- permet de contrôler le chien à tout moment dans les lieux où sa sécurité n'est pas garantie et où le risque d'accident est réel ;
- donne plus de plaisir à se promener ensemble en supprimant la course-poursuite derrière le chien ;
- permet de faire un compromis entre les besoins d'exercice du chien et ceux de son éducateur ;
- est simple à enseigner.

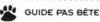

# L'habituation et autres méthodes

## S'habituer

S'habituer, c'est s'accoutumer, s'accommoder, se familiariser. Cela signifie ne plus réagir à des informations qui, jusque-là, entraînaient de la vigilance et des réactions comportementales.

Quand un chien entend pour la première fois le bruit de casseroles qui s'entrechoquent, il regarde, dresse les oreilles, ouvre les narines... Il cherche avec tous ses sens la signification de cette information, de ce stimulus nouveau. Après 50 répétitions du même bruit qui n'entraîne aucun effet ni positif ni négatif, le chien ne réagit plus.

Si le bruit précède l'administration de nourriture, il devient un signal qui fera saliver le chien, il activera sa vigilance d'autant plus qu'il aura faim, le fera se lever, flairer et activer tous ses sens. C'est un conditionnement classique, nous en avons déjà parlé.

Si, par hasard, le bruit accompagne la chute des casseroles qui tombent par terre à proximité du lieu de couchage du chien, on peut parier que le chien va se sensibiliser et détaler. Ses sens sont en éveil, l'adrénaline active les réactions de fuite. C'est encore une fois un conditionnement. Il est préférable que le chien s'éloigne plutôt que de recevoir des casseroles sur la tête.

Somme toute, pour qu'un animal s'habitue, il faut que l'information qu'il reçoit de l'environnement soit sans conséquences pour lui.

## S'éteindre

Un comportement émis par un chien persiste s'il a des conséquences positives (récompenses) et se réduit s'il a des conséquences négatives (corrections, punitions). Si ce comportement est sans conséquences, il s'éteint.

Prenons l'exemple du chien qui désire jouer, regarde l'éducateur et aboie. Si ce comportement persiste, c'est que l'éducateur donne des informations positives au chien : il le regarde, il lui parle, il joue avec lui, il court derrière lui. Si le comportement est considéré comme gênant, sans doute l'éducateur crie « non », désire donner une correction au chien et, pour ce faire, le poursuit dans la maison. Comme il n'y a pas de conséquences négatives et que le chien reçoit de l'attention, il est... récompensé. Si l'éducateur devient totalement indifférent, le chien va arrêter son comportement après quelques jours.

Un comportement récompensé au départ, même involontairement, est jugé comme étant efficace. Dès lors, le chien va le répéter. C'est logique. Si ce comportement devient sans conséquences positives, le chien va « se poser des questions » et amplifier le comportement qui était efficace jusqu'à présent. Dans l'exemple précédent, il va aboyer encore plus fort, créer encore plus de nuisances. Mais après quelques séances où le comportement empire, s'il n'y a toujours aucune conséquence positive, il s'arrête au profit d'un autre qui, lui, donnera des résultats encourageants. Le comportement s'éteint.

## Analyser les comportements : les deux principes

Pour éduquer correctement un chien et pour s'engager dans des rééducations, il faut avant tout analyser les comportements du chien et leurs conséquences. On peut garder en mémoire deux principes très simples.

1. Un comportement se maintient ou s'accroît quand il a des conséquences positives pour le chien.

2. Un comportement se réduit ou disparaît lorsqu'il a des conséquences nulles ou négatives pour le chien.

Tout l'art de l'expert est de découvrir ces conséquences et de les manipuler pour guider l'éducation. Si ces conséquences ne peuvent être modifiées, il faudra changer les motivations et les causes des comportements gênants.

## Sept mois pour un coucher?

Quand il faut de cinq à sept mois d'éducation pour qu'un chien se couche à la demande, c'est qu'il y a un problème quelque part. Un chien, dans mon lieu de travail, a ouvert une porte coulissante après quelques minutes d'exploration. Son intelligence n'était donc pas en cause. Mon hypothèse était qu'il y avait un problème dans la technique d'apprentissage.

Quelle était cette technique? Le chien se couchait, l'éducateur disait « couché » et caressait le chien. Mais quand l'éducateur disait « couché », le chien refusait de se coucher. Pourquoi? Parce que la conséquence n'était pas assez positive. La caresse était une chose banale pour ce chien qui était caressé dès qu'il le demandait, au point de manipuler son environnement humain à l'aide de regards et d'aboiements pour obtenir des caresses. L'éducateur disait: « J'ai remarqué que si je le caresse, il s'apaise. Ensuite il se couche sur le dos. »

La caresse n'est une récompense que pour le chien rarement caressé. Pourquoi obéirait-il pour obtenir une caresse alors que c'est lui qui fait obéir ses propriétaires, qui les éduque à donner des caresses quand il les demande?

J'ai proposé d'augmenter le « salaire » du chien et de le récompenser d'une friandise. Quelques essais se sont montrés fructueux. Le chien s'est couché à la demande.

Comme ce chien était arrivé à l'adolescence et que c'est l'âge d'entrée dans la hiérarchie, il était nécessaire aussi de lui préciser qu'il ne pouvait pas manipuler son environnement à sa guise. Il risquait de devenir dominant, même sans aucune agressivité. Désormais, le chien allait mériter sa vie, travailler et obéir pour obtenir un repas, une sortie, une caresse ou pour jouer. C'est une règle simple mais indispensable quand le chien passe de l'âge tendre de l'enfance où tout est permis à l'âge adulte soumis à des contraintes sociales très strictes.

## Apprendre à apprendre

Je ne peux vous donner dans ce guide toutes les techniques « pas à pas » pour tout ce que le chien peut apprendre. Ce livre deviendrait une encyclopédie et contiendrait des répétitions lassantes. Les techniques sont simples et s'adaptent à d'autres comportements, à d'autres ordres, à d'autres demandes.

Adapter ces techniques à vos désirs, c'est le secret de l'apprentissage de l'éducateur, le secret de la pédagogie.

# Se laisser faire

Se laisser toucher et caresser, se laisser regarder, manipuler, soigner et brosser les dents, cela s'apprend.

## La tolérance extrême de l'animal de compagnie

C'est l'éducation à la tolérance. C'est l'éducation à l'acceptation d'un rôle social extrêmement important dans notre société actuelle : le rôle d'animal de compagnie. On demande au chien d'être multiple : tour à tour un chien en peluche à qui l'on peut tout faire et qui ne détruit rien dans la maison quand il est seul, un compagnon de promenade infatigable, un ardent défenseur du territoire familial, une peluche que l'on prend sur ses genoux, qui se laisse manipuler, ausculter et piquer par le (la) vétérinaire et, en plus, un sportif athlétique capable de faire des compétitions d'*agility*. Jouer tous ces rôles est d'une telle complexité que 60 % des chiens échouent en général sur l'un ou l'autre de ces points. Ces échecs sont appelés des nuisances, des désagréments, des inconvénients, des délinquances.

Parfois la demande est telle, que le chien n'arrive plus à s'adapter et entre en souffrance. Il développe de l'anxiété, des phobies, des dépressions.

## Éduquer pour favoriser l'adaptation

Dans ma technique éducative, je propose d'augmenter les compétences d'adaptation et de tolérance chez le chien (et chez l'éducateur). C'est plus abstrait sans doute que les techniques détaillées que j'ai données jusqu'à présent, mais tout aussi nécessaire pour vivre en société.

## Commencer très jeune

L'éducation à la tolérance du contact commence très jeune puisqu'elle peut débuter quand le chiot n'est pas encore né, quand il est dans le ventre maternel. Le fœtus est déjà capable de percevoir le contact vers l'âge de 35 jours de gestation. Il est aussi apte à apprendre en quelques jours à tolérer les premiers contacts.

Caresser et palper les mères enceintes est la technique qui permet cette prouesse remarquable. Le bébé chiot est suivi par échographie. Ce bébé minuscule gigote aux premiers contacts de la palpation. Après quelques jours il se laisse faire ; il s'est habitué.

Ensuite, pendant la période d'empreinte et de socialisation, entre trois semaines et trois mois, le chiot crée littéralement son cerveau grâce aux informations qu'il reçoit de l'environnement. C'est à ce moment que des contacts tactiles, des caresses, des manipulations douces puis plus fortes, vont lui permettre de créer le cerveau du toucher et de la tolérance au toucher. Vous trouverez plus d'informations à ce propos dans mon ouvrage intitulé *L'éducation du chien.*

## Simuler les manipulations vétérinaires

Comment faire ? Prendre le chiot dans ses mains (ne pas le soulever par la peau de la nuque). Le poser sur une table et l'asseoir. S'il se débat, le tenir gentiment ou saisir la peau de son cou entre le pouce et l'index d'une main et manipuler le chiot de l'autre main. Ou se faire aider par une seconde personne qui maintiendra le chiot sur la table et veillera à ce qu'il ne tombe pas (cet exercice ne peut pas être traumatisant).

Regarder les yeux et les oreilles. Pincer légèrement les babines. Ouvrir la bouche en glissant un pouce d'un côté, un index ou un majeur de l'autre côté et presser légèrement sur les babines derrière les canines. Le chiot va ouvrir la bouche. Relâchez la pression pour qu'il ferme la bouche.

Pincer délicatement la peau du cou et du dos. Manipuler les membres les uns après les autres. Presser légèrement la peau sur les os longs.

Relever la queue. Vérifier la propreté de l'anus et du sexe.

Le temps complet de cette manipulation dure de une à deux minutes. On peut la répéter tous les jours. L'éleveur peut commencer quand le chiot a cinq semaines. L'acquéreur continue dès que possible. On peut augmenter la durée de ces premières manipulations simples (jusqu'à cinq minutes) ainsi que leur complexité : glisser un doigt sur la langue pour regarder le fond de la bouche, brosser les dents, placer un thermomètre (à l'embout légèrement huilé) dans l'anus (pour information, la température normale du chien est de 38°5).

## Que faire si le chien ne se laisse pas toucher ?

Si, à son acquisition, un chiot de sept à huit semaines ne se laisse ni toucher, ni caresser, ni manipuler, on peut tenter malgré tout la technique exposée ci-dessus.

S'il s'agit d'un chiot de trois mois ou plus, ou d'un chien adulte, il faut consulter son (sa) vétérinaire ou un(e) vétérinaire comportementaliste qui posera un diagnostic. Le chiot peut souffrir d'une pathologie osseuse ou articulaire de croissance ou d'une affection comportementale comme une hyperactivité, une phobie ou une anxiété. Chez le chien adulte, de nombreuses pathologies du corps ou du comportement peuvent être responsables de cette intolérance au contact.

## Que faire si le chien ne se laisse pas regarder ?

Comme pour le cas précédent, consultez son (sa) vétérinaire ou un(e) vétérinaire comportementaliste.

Regarder fixement un chien dans les yeux peut constituer une menace pour l'animal. Le chien dominant, mais aussi le chien anxieux, supportent mal cette manière de faire et risquent même d'agresser l'éducateur.

Les techniques pour corriger ce défaut ne sont plus des savoir-faire éducatifs mais bien des thérapies comportementales. Elles dépassent donc le cadre de ce livre.

## Tolérer la voiture

De nombreux chiens aiment la voiture qui est synonyme de promenade libre dans la campagne ou en forêt. C'est un simple conditionnement classique d'excitation et de plaisir. La voiture évoque déjà l'excitation de la liberté.

Certains chiens n'aiment pas la voiture et en ont peur. Parfois, le premier déplacement du chiot en voiture a eu lieu lors de son transport de chez l'éleveur chez le propriétaire et le second, de chez l'acquéreur chez le (la) vétérinaire. Le chien non préparé a été placé sur une table, manipulé, vermifugé et vacciné. Malgré la douceur des praticiens, ce n'est pas toujours une expérience amusante pour un chiot. Celui-ci subit un conditionnement classique de déplaisir.

On doit habituer le chiot ou le chien à la voiture. Comment procéder ? Tout simplement en leur faisant faire de petits voyages en voiture dès le plus jeune âge et le plus souvent possible jusqu'à ce qu'ils ne réagissent plus par des émotions fortes. C'est le principe de l'habituation.

Si le chien est excité, en pleine euphorie, peu contrôlable, l'éducateur peut rouler en voiture plus longtemps, jusqu'à ce que le chien se calme spontanément. Ensuite, il rentrera à la maison. C'est le principe de l'extinction. N'étant pas suivi d'une conséquence positive ni récompensé, le comportement s'éteindra. Mais avant de s'éteindre, il va s'amplifier. L'éducateur devra répéter les longs trajets en voiture jusqu'à ce que le chien n'émette que peu de comportements exubérants.

## Les transports en commun

Pour les transports en commun (bus, tramway, métro), la procédure à appliquer est la même que celle utilisée pour la voiture.

## Conclusion

Plus même que l'obéissance à des ordres tels que « assis » et « couché », le développement de la tolérance est la plus grande qualité du chien de famille. Quelle que soit l'heure, quel que soit le contexte, quel que soit l'environnement, il est agréable d'avoir un chien qui accepte d'être regardé et touché par les membres de sa famille et leurs amis, sans fuir ni agresser.

# L'interdiction : « Ne pas faire... »

Ne pas sauter sur les gens, ne pas aboyer, ne pas mendier, ne pas détruire, ne pas uriner sur le tapis, ne pas faire telle ou telle chose... C'est l'apprentissage de l'interdiction.

## Les ordres négatifs

Est-il possible d'apprendre aux chiens des ordres négatifs ? Quelle pourrait être la représentation qu'a un chien d'un ordre négatif ?

Je dirais que c'est très difficile, tant pour un chien que pour un enfant de deux ans, d'avoir une représentation négative (de se représenter mentalement un ordre négatif), et qu'il est plus aisé d'avoir une représentation positive de ce qu'il convient de faire. Je vais en reparler.

## « Ne pas » et « non »

L'ordre « ne pas » s'apparente au « non ». Et nous avons vu dans le chapitre sur la correction que le « non » est une vocalise (comme un aboiement) de menace ou de colère, ou bien une correction symbolique.

## Ne pas sauter

Quand l'éducateur dit à un chien « ne saute pas » ou « pas sauter », il le corrige. Mais le chien a-t-il appris ce qu'il devait faire à la place ?

Si le chien saute et que l'éducateur le repousse sur le sol en disant « pas sauter », le chien retombe les quatre pattes au sol (à moins qu'il ne tombe mal et chute sur le côté). Cet éducateur estime que le chien doit comprendre que « pas sauter » signifie « rester avec les quatre pattes au sol ». Mais le chien a-t-il compris la même chose ? Posons-nous d'abord la question : Pourquoi le chien saute-t-il sur les gens ?

Pour les accueillir. Et comment s'accueillent deux chiens de taille différente ? Le plus petit relève la tête, le plus grand la baisse. Les deux chiens font un contact nez à nez ou nez à oreille (il y a des odeurs sociales, des phéromones, à renifler à cet endroit).

Comment font, pour s'accueillir, un chihuahua et un dogue allemand (grand danois) ?

Le dogue allemand se couche et met sa truffe au niveau du sol alors que le chihuahua se dresse sur ses pattes arrières pour faire un contact nez à nez avec son congénère.

Un humain debout est plus grand qu'un dogue allemand. Comment donc un chien pourrait-il faire un accueil nez à nez avec un humain sans se dresser sur ses pattes arrières ? L'autre solution serait que l'humain s'accroupisse au niveau du chien.

Si le chien se dresse spontanément pour accueillir l'humain, quel sens pourra prendre ce « pas sauter » ? Cette correction ne sera efficace que si on la prolonge, si on la répète. Dès qu'on l'arrêtera, le chien recommencera à sauter. Normal, tant qu'on ne lui aura pas appris un geste qui sera pour lui aussi riche que le contact nez à nez.

## Accueil ritualisé sur la main

Dans une première étape, l'éducateur s'accroupit pour se rapprocher du chien. Celui-ci n'a alors plus besoin de sauter. Quand le chien s'approche, l'éducateur a le choix entre lui dire un mot d'accueil « allô ! » ou « bonjour » (ou un autre mot de son choix), ou ne rien dire. Ce mot servira ultérieurement à conditionner le comportement du chien, c'est-à-dire à induire une sorte de réflexe au moment de l'accueil.

Il a aussi le choix entre laisser le chien debout ou le faire asseoir avec la commande « assis ».

Au cours de l'accueil, il est fréquent que le chien donne quelques coups de langue. L'éducateur peut tendre la main afin d'orienter ces coups de langue sur la main.

Ce comportement est récompensé automatiquement par l'accueil, il n'est pas nécessaire d'utiliser une friandise. Cependant, certains chiens plus têtus pourraient être encouragés à garder les quatre pattes sur le sol avec une friandise.

Ce processus est à répéter 20 fois.

Dans une seconde étape, l'éducateur reste debout, dit « allô ! » (ou « bonjour », ou ne dit rien), penche le torse en avant et présente la main au chien pour le coup de langue d'accueil.

On peut ensuite conserver le rituel tel quel.

## Corriger le chien qui saute sur les gens

L'éducateur n'a pas toujours l'occasion de travailler avec des chiens vierges de toute éducation. Parfois le chien saute sur les gens pour les accueillir depuis de nombreux mois. Quelle technique utiliser à ce moment ?

Les ouvrages sur les chiens proposent souvent d'utiliser les punitions. Il existe pourtant une technique toute simple pour un chien de plus de

15 kilos : mettre le genou en avant quand le chien saute en disant « non ». Le chien rebondit sur le genou.

Comme la correction sert à arrêter le comportement de saut et qu'il faut le remplacer par quelque chose de constructif, l'éducateur utilise immédiatement la technique positive décrite plus haut.

Mais plutôt que de corriger, pourquoi ne pas empêcher le chien de sauter avec un petit artifice ? Il suffit de garder le chien avec collier et laisse, de laisser pendre la laisse par terre et de poser le pied dessus pour empêcher le chien de sauter au moment de l'accueil des visiteurs. Le saut étant inefficace, le chien apprend rapidement à rester les quatre pattes au sol.

## Que comprend le chien ?

Le chien est incapable de comprendre un ordre négatif.

Il est capable de comprendre une correction, mais il ne peut pas se représenter un non-acte, une absence de comportement. Il peut se représenter un comportement positif, une action.

Dès lors, tous les ordres négatifs seront en fait des ordres positifs d'un comportement opposé ou incompatible avec le comportement qu'il faut arrêter.

« Ne pas sauter » devient « accueillir debout sur ses quatre pattes ». Cette dernière action est récompensée alors que l'action de sauter sur les gens est corrigée.

Nous allons faire des exercices avec d'autres ordres négatifs.

## Ne pas aboyer

Quel est le comportement incompatible avec l'aboiement ? Le silence. Il faut récompenser le silence et corriger l'aboiement.

Aboyer étant naturel pour un chien, on doit récompenser le calme et le silence uniquement dans certaines circonstances ou certains contextes.

Quand l'aboiement du chien provoque-t-il des nuisances ? Quand le téléphone sonne, par exemple. Que faire ? On s'arrange avec un ami ou on utilise un cellulaire, on débranche le répondeur automatique et on fait sonner le téléphone. Le chien aboie. Si le chien a appris déjà la punition symbolique, on dit « non ». Le chien s'arrête d'aboyer un court moment, alors que le téléphone sonne toujours. On récompense le chien avec une friandise et on répète l'exercice entre 20 et 50 fois, jusqu'à ce que le chien reste calme pendant la sonnerie du téléphone. C'est assez simple, non ?

Le chien aboie pour accueillir des visiteurs. Que faire ? On utilise la même technique. On corrige le chien avec un « non » symbolique, et ensuite, s'il se tait, on le récompense. Il est plus simple, après le « non », d'intercaler un « assis » qui est une posture contrôlée et calme. Cela facilite la tranquillité du chien.

## Éteindre l'aboiement

Les humains sont de grands bavards, la voix est utilisée toute la journée. Le chien imite ses parents adoptifs, aussi il use et abuse de ses expressions vocales. C'est un apprentissage par imitation.

Vers l'âge de huit semaines, les chiots sont au maximum de leurs capacités vocales. Ensuite, dans la nature, les aboiements diminuent, le chien sauvage adulte étant quasiment silencieux. Dans la maison, l'intervention vocale des propriétaires favorise les aboiements.

Comment « éteindre » les aboiements ?

- S'il s'agit d'un aboiement provocant — le chien se place en face de l'éducateur pour aboyer et lui demande quelque chose —, il faut être totalement indifférent, ne pas s'en occuper. Il ne faut pas le regarder, surtout ne pas lui montrer qu'on a compris qu'il avait quelque chose à nous dire. On ne s'intéresse à lui que lorsqu'il est silencieux. C'est

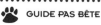

très difficile d'être totalement indifférent. La majorité des éducateurs n'y arrivent pas et le chien reçoit souvent des signaux qui encouragent ses aboiements. Cependant, si l'éducateur est suffisamment « zen », cette technique reste excellente pour éteindre l'aboiement provocant.

- S'il s'agit d'un aboiement territorial, il convient de n'ouvrir la porte que lorsque le chien est silencieux. C'est difficile, car les visiteurs sont derrière la porte. Arrangez-vous avec des amis pour multiplier les visites. Étant informés qu'ils participent à une action éducative, ils ne seront pas surpris de voir la porte s'ouvrir quelques minutes en retard.

Il est plus aisé, plutôt que de simplement attendre que le chien se taise spontanément, de provoquer son silence par une correction, puis par un ordre simple comme « assis ». Ensuite, l'éducateur pourra dire « silence » et récompenser.

## Que faire contre l'aboiement de compétition pour un objet ?

Lors d'une compétition pour un objet, l'aboiement de menace est la première séquence de l'agression. C'est déjà une agression. Si cet aboiement est efficace pour maintenir le vis-à-vis à distance, le chien est récompensé. Très rapidement, il risquera de devenir hyperagressif.

Que faire si l'aboiement est déclenché par une compétition pour un objet (entre deux chiens ou entre un chien et un humain) ?

Il convient de se mettre à l'aise, et pourquoi pas de s'asseoir sur une chaise à proximité du chien, en gardant le torse droit ou penché légèrement en avant. Il faut éviter de regarder le chien dans les yeux, ce qui serait une menace et une réponse à sa menace. L'éducateur regardera fixement le chien sur la nuque, sur le dos ou sur la croupe ; ce regard de côté n'est pas menaçant mais plutôt dominant. N'étant pas menaçant, ce regard fixe ne déclenchera pas de montée d'agression. Il exigera du chien une réponse qui sera généralement un détournement de son regard et un arrêt de l'aboiement. Le chien mal à l'aise prendra probablement une position plus confortable : il s'assoira ou se couchera. Il se peut qu'il tente d'accrocher votre regard d'un air interrogatif. Le regard de l'éducateur se détourne dès que le chien s'est lui-même détourné.

## L'aboiement de compétition pour une personne

Lorsque le chien se met à proximité d'une personne familière et qu'il aboie après quelqu'un qui veut s'en approcher, il semble défendre une relation préférentielle, voire privilégiée.

La meilleure technique est l'alliance. Les deux personnes se mettent côte à côte et regardent le chien sur la nuque, le dos ou la croupe. Après 30 secondes, d'un commun accord, elles avancent vers le chien d'un pas décidé, lui laissant un espace suffisant pour s'éloigner. Personne ne s'avance vers un chien acculé ou réfugié sous un meuble. Il a besoin d'un passage pour s'en aller.

## L'aboiement de menace sur une personne déterminée

Il faut resocialiser le chien à la personne après laquelle il aboie en associant cette personne avec un sentiment positif. Après avoir placé la personne à une certaine distance du chien pendant 15 minutes — jusqu'à trois heures si nécessaire — on lui demande de s'accroupir, de détourner le regard et de tendre un aliment très appétissant au chien, qui sera libre de venir ou non le prendre dans sa main. On répétera l'exercice jusqu'à ce que le chien se familiarise avec la personne dans cette posture précise.

Ensuite, la personne pourra jeter de brefs regards en direction du visage de l'animal, puis elle se lèvera. En aucun cas, la personne n'ira en direction du chien. Elle tentera toujours de l'attirer.

## Que faire si le chien ne connaît pas le « non » symbolique ?

Dans ce cas, dire « non » reviendrait à aboyer avec le chien. Et celui-ci pourrait aboyer davantage. Tout le monde se mettrait à vocaliser très fort, à crier à tue-tête. La solution deviendrait alors une cause secondaire du problème. Pourquoi le chien ne crierait-il pas avec l'éducateur ? Pourquoi ne l'imiterait-il pas ?

Seul le « non » symbolique serait une correction verbale efficace. Si le chien ne l'a pas appris, l'éducateur doit recourir à une autre correction, telle qu'une claque sur le nez. Lisez le chapitre 7 sur la correction pour en savoir plus.

## Ne pas détruire

Le chien n'a pas de main avec un pouce opposable aux autres doigts. Il explore l'environnement avec son flair et avec sa gueule. Il saisit les objets entre ses dents, les mâchonne. Si, d'aventure, il saisit un livre, un téléphone cellulaire, une souris d'ordinateur, un disque… il se pourrait que sur l'objet en question soit imprimée la trace des dents.

Mâcher, pour le chien, est une activité apaisante. Dès lors, plus que de constater la trace des dents, vous risquez d'assister à une destruction en règle de l'objet.

Comment empêcher le chien de détruire et faut-il l'en empêcher ? C'est dans sa nature de détruire des objets, du moins de mettre en gueule, de mâcher et de ronger. Mais on peut l'empêcher de ronger les objets des personnes et le laisser ronger ses propres jouets, os et autres gadgets. Que dirait-il de recevoir un os, un vrai ?

Que faire ?

Le chien ronge un disque. L'éducateur dit « non », reprend le disque et donne au chien un os (un de ses jouets) à ronger à la place. L'interdiction est liée non à l'acte de ronger mais à l'objet en question.

Si le chien a un faible pour les disques (ou les peluches des enfants, etc.), il faut avant tout sauver le maximum d'objets, ne pas les laisser traîner à portée des crocs redoutables du chien. Ensuite, on utilise la technique suivante.

L'éducateur se promène avec l'objet en main. Dès que le chien montre un intérêt pour celui-ci, il est corrigé (claque sur le nez, « non ») jusqu'à ce qu'il mâche spontanément ses propres objets. À ce moment, l'éducateur ne dit rien, il n'intervient pas. Le chien est auto-récompensé par son propre comportement de mâchonnement et il ne convient pas de le distraire, ni d'interférer avec son plaisir.

### Ne pas détruire en absence des personnes

Plusieurs raisons comportementales expliquent les destructions du chien en l'absence de personnes familières. Si les besoins écologiques du chien sont respectés, c'est-à-dire s'il a mangé, s'il a pu se dépenser et courir, s'il a éliminé et s'il a ses propres objets et os à ronger, et que malgré tout il détruit systématiquement des objets, l'intervention d'un expert (vétérinaire comportementaliste, par exemple) est nécessaire. Le chien peut être anxieux, phobique, dominant, hyperactif, faire des crises de panique. Il a avant tout besoin d'un traitement médical.

## Ne pas uriner sur le tapis

C'est un sujet simple mais qui demande à être approfondi pour le chiot et le chien âgé. Vous trouverez le développement de ce thème dans le chapitre suivant.

## Ne pas mendier

Si un chien mendie à table, c'est qu'il a reçu des aliments de la part d'un des familiers. Tous les chiots veulent participer au repas de leurs maîtres, c'est normal, car ils participent à celui de leurs parents. Mais le chien adolescent n'en a plus le droit, sauf lorsqu'il utilise une posture basse, presque couché au sol, oreilles tirées en arrière, visage lisse, queue sous les membres postérieurs. À ce moment, il peut apaiser suffisamment le courroux des dominants, arriver à emporter un morceau de viande et s'enfuir pour le manger à l'écart. En dehors de ce cas particulier, les chiens adolescents et les chiens dominés mangent après les dominants, quand ceux-ci se sont retirés du lieu d'ingestion des aliments.

Nous autres, humains, devons parler chien et respecter le langage du chien. Mais il vit en société et il est agréable de l'emmener chez des amis et de voir qu'il est calme, qu'il ne mendie pas ni ne salive à table… Pour arriver à cela, il convient de lui apprendre à ne pas mendier. Comment ? En mangeant avant lui et en le faisant manger après.

Il a faim. Il a envie de partager votre repas, mais il n'en a pas le droit. À la fin du repas, vous pouvez ajouter vos restes à sa nourriture, dans son plat et à sa place.

Pour qu'un chien ne mendie plus à table, il suffit de ne plus jamais, jamais, rien lui donner à table. C'est le processus d'extinction. Un comportement qui n'est plus récompensé s'éteindra. S'il avait été récompensé auparavant, le comportement va d'abord s'intensifier pendant environ une semaine.

Mais, car il y a un « mais », dans la nature, le chien chasse 10 à 15 fois pour ramener une proie et se nourrir, en étant peu récompensé pour ses recherches. Ce comportement est donc très tenace. Une récompense toutes les 15 à 30 demandes ne fait que respecter la nature du chien et ancrer le comportement de mendicité comme un réflexe, un automatisme, dans son cerveau. Ainsi, pour « éteindre » le comportement de mendicité, il ne faut plus jamais donner au chien quoi que ce soit provenant de la table et faire respecter cette consigne par tous les membres de la famille, les amis et les visiteurs. Mais c'est chose quasiment impossible.

Voilà pourquoi la majorité des chiens mendient à table… chez une certaine personne.

Certains propriétaires ont envie de partager leur repas avec leur chien, c'est leur droit. Le partage du repas est un geste d'amitié et de familiarité chez l'être humain. Pour que le chien n'obtienne pas un privilège dominant, il convient que sa demande de nourriture ne soit récompensée qu'en fin de repas et que lorsque le chien adopte une posture basse, telle que décrite plus haut.

## Le refus d'appât

Pour de nombreux clubs d'éducation, le chien ne devrait pas accepter de nourriture d'un inconnu. Il ne devrait l'accepter que de son maître. La belle affaire ! Si le maître disparaît, le chien se laissera-t-il mourir de faim ? La réponse est « non ».

On peut apprendre à un chien bien nourri à refuser un appât de la part d'un inconnu. C'est même une nécessité pour passer des brevets d'obéissance. Il y a de nombreuses techniques, parfois plus barbares les unes que les autres : présenter de la viande appétissante et donner une claque au chien ou piquer dans la viande des bâtonnets de bois pointus pour que le chien se pique le palais. Bien entendu, la technique punitive est associée à un inconnu et l'éducateur, le maître du chien, donne une viande appétissante sans claque ni bâtonnets.

Une fois hors du terrain de dressage, le chien dressé ira ramasser du vieux pain moisi qui traîne sur le sol ou un cadavre de lapin.

Seul le chien anxieux ou phobique devant l'homme refusera l'appât tendu par l'homme, mais s'il n'a pas peur des femmes, rien ne l'empêchera d'accepter l'aliment de la main d'une dame, même inconnue.

Je suis aussi opposé à cet apprentissage pour la raison suivante : l'appât est nécessaire dans une thérapie de resocialisation. Si le chien est ou devient craintif envers des gens, une bonne méthode de le resocialiser est de demander aux personnes :

- de s'accroupir,
- de détourner le regard, de ne pas regarder le chien dans les yeux,
- de tendre la main avec une friandise,
- de laisser le maître encourager le chien à venir prendre la friandise dans la main tendue.

Cet exercice est à répéter avec la même personne jusqu'à ce que le chien soit habitué à elle. Ensuite, elle adoptera une posture plus droite. L'exercice sera réitéré avec d'autres personnes afin que le chien tolère près de lui un plus grand nombre de personnes.

Cet exercice nécessite que le chien accepte un appât. Et les vétérinaires comportementalistes ont les médicaments nécessaires pour accroître l'appétit du chien, si nécessaire.

## Conclusion

Pour apprendre une interdiction, il faut récompenser son contraire. C'est simple, mais il fallait y penser.

# La propreté

Apprendre au chien à être propre, c'est-à-dire à respecter l'hygiène de l'environnement humain dans lequel il vit, est une nécessité. C'est aussi un cas particulier de l'apprentissage de l'interdiction.

## On n'apprend pas au chien à être propre

Cela semble paradoxal avec ce que je viens de dire. Ce n'est qu'un paradoxe apparent. Le chien est propre au sens canin du terme lorsqu'il ne salit pas les lieux de couchage, de repas et de boisson. Généralement, il respecte aussi les aires de jeu, mais ce n'est pas obligatoire. Si votre chien urine dans son panier, à côté ou dans sa gamelle, ou dans son eau de boisson, consultez un vétérinaire comportementaliste. Il est impératif d'obtenir un diagnostic et un traitement.

Les techniques décrites ci-dessous sont efficaces pour un chien propre au sens canin du terme.

## Être propre, c'est quoi ?

Dans la représentation populaire, un chien est propre lorsqu'il respecte l'environnement humain, c'est-à-dire lorsqu'il ne salit pas l'appartement ou la maison.

## Ne pas uriner sur le tapis

La technique d'éducation utilisant la correction du comportement néfaste et la récompense du comportement adéquat est efficace.

L'éducateur corrige le chien au moment même où il urine sur le tapis et il le récompense juste après qu'il ait uriné dans un endroit convenant, sur l'herbe du jardin, sur la plaque d'égout, etc.

Le chien comprendra bien vite quel est son intérêt.

J'ai pris l'exemple du tapis, mais on peut étendre l'interdiction à l'appartement ou à la maison. Le chien ne doit pas uriner dans l'appartement. Il doit uriner à un endroit convenant et convenu, à savoir dehors, ou sur la terrasse si on habite au sixième étage, ou si le chien est jeune ou vieux et ne peut retenir ses urines très longtemps.

## Ne pas uriner dans la maison

Utiliser les mêmes techniques que précédemment.

## Que faire si on est absent quand le chien urine ?

La correction n'est plus possible. Seule la récompense est admise.

De nombreux éducateurs sont bien évidemment fâchés lorsqu'ils rentrent chez eux et voient l'appartement souillé. Ils laissent parfois aller leur colère et crient, se fâchent, punissent le chien. Ou, sachant qu'ils ne peuvent punir, ils serrent les dents et les poings et marchent de façon rigide en jetant un œil noir au chien qui se terre dans un coin de la pièce ou derrière un fauteuil. Impossible de mentir à un chien ; le langage corporel de l'éducateur trahit son courroux et le chien adopte des postures basses d'apaisement et de soumission, afin de ne pas être puni.

Si le chien dont on a respecté les besoins naturels élémentaires (il est sorti jusqu'à ce qu'il ait vidé vessie et intestin, il a eu l'occasion d'exercer sa musculature, de se promener et de courir) urine en l'absence du propriétaire, il vaut mieux consulter un(e) vétérinaire comportementaliste afin de déterminer si le chien ne souffre pas d'une pathologie physique (rein, foie, diabète... ) ou comportementale (anxiété, etc.).

## Comment apprendre au chiot à être propre ?

La technique est la même que pour un chien adulte. Cependant, il faut être beaucoup plus vigilant parce que le chiot contrôle mal les sphincters de la vessie et du rectum. Il faut donc le sortir beaucoup plus souvent.

## Le développement du contrôle des sphincters chez le chiot

À la naissance, les éliminations urinaires et fécales sont déclenchées par le léchage du périnée (la région anogénitale) par la mère. Les éliminations sont réflexes.

Vers deux ou trois semaines, elles deviennent spontanées.

Dès l'âge de trois semaines, le chiot sort du nid pour éliminer (propreté du nid).

Dès huit semaines, les lieux d'élimination sont devenus spécifiques et préférentiels, à distance des lieux de couchage et d'alimentation. Cette préférence va se confirmer dans les semaines suivantes. Elle est facilitée par la possibilité d'éliminer sur une surface absorbante: sable, paille, terre... Il s'agit d'un véritable conditionnement. En effet, vers l'âge de huit semaines, le chiot associe les lieux et les surfaces avec le comportement excrétoire: désormais la vue ou l'odeur de ces endroits déclenchent le besoin d'éliminer.

À 15 semaines, cette préférence de substrat et de lieu d'élimination est quasiment définitive.

Le comportement d'élimination est précédé d'une marche le nez au sol à la recherche des odeurs des éliminations précédentes. Leur découverte active le réflexe d'élimination.

**ÉVOLUTION DE LA SÉQUENCE D'ÉLIMINATION: DU RÉFLEXE BIOLOGIQUE AU CONDITIONNEMENT**

| De 3 à 5 semaines | Après 4 semaines | Après 8 semaines |
|---|---|---|
| Réflexe spontané | Séquence complète | Séquence conditionnée |
| Pression dans la vessie | Pression dans la vessie | – |
| Agitation | Agitation | – |
| – | Déambulation nez au sol | – |
| – | Découverte d'odeurs d'éliminations | Découverte d'odeurs d'éliminations |
| Prise de la position accroupie | Prise de la position accroupie | Prise de la position accroupie |
| Élimination | Élimination | Élimination |
| Soulagement | Soulagement | Soulagement |
| Éloignement du lieu des toilettes | Éloignement du lieu des toilettes | Éloignement du lieu des toilettes |
| Retour au nid, jeux, etc. | Retour au nid, jeux, etc. | Retour au nid, jeux, etc. |

## Combien de temps un chiot peut-il se contrôler ?

Le chiot élimine toutes les heures en journée et toutes les trois à quatre heures durant la nuit. S'il ne dispose pas de beaucoup d'espace et ne peut pas retrouver un lieu d'élimination adéquat, le chiot de plus de quatre à cinq semaines va tenter de contrôler ses sphincters et il va se retenir pour ne pas souiller les lieux de couchage.

C'est donc déjà chez l'éleveur que se développe la préférence pour le substrat et le lieu d'élimination. Lors d'une acquisition à l'âge de sept ou huit semaines, ces choix vont se confirmer dans sa nouvelle demeure.

## Exiger une propreté impeccable

Comment va-t-on procéder pour apprendre au chiot à ne pas éliminer dans la maison ? Voici la procédure la plus aisée.

1. Déterminer un ou plusieurs lieux adéquats d'élimination, à distance (un mètre minimum) des lieux de couchage et d'alimentation ; les toilettes du chiot doivent être facilement accessibles.
2. Choisir un substrat convenable et absorbant. Pourquoi pas un grand bac à litière (comme on le fait pour les chats, mais adapté à la taille du chiot).
3. Limiter l'espace disponible pour le chiot laissé sans surveillance aux lieux de couchage et d'alimentation et aux toilettes.
4. En présence du chiot, observer le comportement de recherche du lieu des toilettes et, au moindre signe suspect, l'y emporter le chiot. Récompenser après l'élimination.
5. Si le chiot élimine dans un lieu inconvenant, arrêter l'élimination en portant le chiot à ses toilettes. Inutile de se fâcher. La colère n'est pas éducative.
6. Dès l'âge de huit semaines, et malgré l'utilisation de toilettes à la maison, apprendre au chiot à utiliser les caniveaux, la terre ou l'herbe des jardins. Cet apprentissage doit être effectué avant l'âge de 15 semaines.
7. Le sortir la nuit une ou deux fois pendant quelques semaines. Ne pas lui demander de se retenir plus de six heures d'affilée.
8. Toujours le laisser sortir par le même accès, la même porte et s'assurer qu'il a éliminé avant de jouer et de se promener, sinon il demanderait constamment de sortir pour toutes sortes de raisons.
9. Ne pas l'encourager à aboyer pour demander à sortir : l'aboiement n'est pas fiable et peut conduire à d'autres habitudes indésirables.

Le chiot qui doit sortir se placera devant la porte (toujours la même, conserver le rituel) et gémira, miaulera, en grattant de la patte antérieure. Encourager ce comportement en le récompensant.

La technique est simple et efficace. On peut l'utiliser autant en appartement qu'en maison avec jardin. Elle permet d'éviter les drames de la malpropreté, source d'insatisfactions et de rejet du chiot.

## Que se passe-t-il si on fournit au chiot du papier journal pour éliminer?

Le papier journal est peu absorbant; il laisse filtrer les odeurs et les salissures sur le sol qui s'en imprègne. Le chiot se conditionne au lieu de toilettes et chaque fois qu'il y passe, l'odeur active le réflexe d'excrétion.

Une fois passé l'âge de 15 semaines, et malgré l'enlèvement des journaux et les tentatives d'apprentissage pour le faire éliminer dehors, le chiot « se retient » aussi longtemps que possible, malgré des heures de promenade, pour « se soulager » à la maison. Les propriétaires ont tout simplement conditionné le chien, bien involontairement, à utiliser des toilettes dans la maison. Et le chien s'y tient!

Si l'on ne peut sortir le chien fréquemment, on peut lui apprendre à éliminer sur des journaux. Voici la procédure la plus simple.

1. Empiler des feuilles de papier journal sur un plastique ou dans une petite caisse basse pour en faire les toilettes du chiot.
2. La pile de journaux (désormais ses toilettes) doit être située à distance de la couche et de l'endroit où le chien mange.
3. Entraîner le chiot à éliminer sur les journaux de la même façon qu'on le ferait pour des toilettes situées à l'extérieur.
4. Lorsqu'il est temps de changer les feuilles de papier journal, celles du dessous doivent être placées au-dessus des nouvelles pour évoquer, grâce à l'odeur des phéromones, la réitération des éliminations.

5. Ne lui permettre l'accès à toute la maison que lorsqu'il élimine tout le temps sur les journaux, et ce, progressivement.
6. Déplacer graduellement les papiers vers la porte et les déposer à l'extérieur pour habituer le chien à éliminer dehors, par approximations successives (en les éloignant petit à petit de la porte).

Cette manière de faire vous permet peut-être de dormir la nuit, mais elle ralentit l'apprentissage de la propreté.

## Garder le chiot dans sa chambre active-t-il l'apprentissage de la propreté ?

C'est exact. Cela permet :

1. de limiter l'espace disponible pour le chiot ;
2. de l'entendre gémir la nuit lorsque lui vient le besoin d'excréter, ce qui nécessite de se lever et de le conduire à ses « toilettes ».

## Combien de fois faut-il sortir le chiot pour qu'il puisse « faire ses besoins » ?

Vers l'âge de huit semaines, il faut compter en moyenne une sortie toutes les heures en journée. Cela signifie que l'on sortira le chiot aux réveils, après les jeux, après les repas, et aussi quand il se met à rechercher son coin toilettes en reniflant incessamment par terre.

Les capacités de rétention de la vessie d'un chiot ne dépassent pas une heure à l'âge de huit semaines. La nuit cependant, il est capable de « se retenir » deux à trois heures.

## À quel âge un chiot est-il propre ?

La majorité des chiots sont propres entre trois et quatre mois. Certains mettent plus de temps que d'autres et ont besoin de conseils individualisés et de médicaments pour arriver enfin à être propres vers l'âge d'un an. Dans quelques cas plus rares, ils ne le sont qu'aux environs de 18 mois.

## La propreté du chien âgé, un problème ?

Le chien âgé perd progressivement le contrôle de ses sphincters. Il doit uriner et déféquer d'urgence.

De plus, l'arthrose et les douleurs articulaires ne l'incitent guère à se déplacer loin pour éliminer.

Enfin, les problèmes de foie, de rein et autres organes nobles entraînent une augmentation de la quantité des urines (et de la quantité de boisson ingérée).

Le chien âgé élimine de grosses quantités non loin de ses lieux de repos, de repas ou d'activités. Il faut donc organiser l'espace afin qu'il puisse garder la maison propre. Il convient de le sortir plus souvent qu'un chien adulte, mais pas autant qu'un jeune chiot. Demandez à votre vétérinaire de déterminer les pathologies physiques cachées de votre vieux chien.

Enfin, le chien âgé peut souffrir de dépression et de confusion, ces deux affections s'accompagnant d'une perte des apprentissages acquis durant l'enfance et la vie entière, et d'une recrudescence de la malpropreté. Une fois traité à l'aide d'une médication adéquates (de la sélégiline — parlez-en avec votre vétérinaire), il faut refaire un apprentissage à la propreté avec les techniques décrites dans ce chapitre.

## Conclusion

La malpropreté est une nuisance qui fait grandement souffrir l'environnement humain de certains chiens. Les techniques efficaces existent, qu'elles soient médicales ou éducatives. Il ne faut pas s'en priver, pour le bien-être de tout le monde, chiens et humains.

# Le façonnement des comportements complexes

## La chienne rapporte des proies à sa portée

Avez-vous déjà regardé des documentaires sur les loups et vu comment la louve-mère nourrit sa portée après l'allaitement? Elle commence par régurgiter de la viande à la demande du bébé. Le louveteau se dresse vers sa mère, lui mordille le coin des lèvres et la maman régurgite de la viande pré-mâchée, voire pré-digérée. Certaines chiennes présentent encore ce comportement ancestral et très pratique lors du sevrage alimentaire, lors du passage de l'allaitement maternel à la nourriture solide à base de viande.

Avez-vous vu la louve rapporter des proies à ses louveteaux? Elle commence par des proies mortes de petite taille, un peu abîmées par des mâchonnements. Les louveteaux jouent avec la proie, l'explorent de la gueule, finissent par y planter les dents et arracher des morceaux de peau et de viande.

La mère apporte ensuite des proies vivantes mais légèrement assommées. Les louveteaux tâtent de la patte et poussent du nez cette chose qui s'agite, tressaille et tremblote... Dès que la chose tente de s'échapper, ils bondissent instinctivement, sautent sur elle, la clouent au sol. Ils l'assomment de nouveau. À force d'avoir servi de jouet, la proie finit par mourir et se transformer en viande... aux yeux des louveteaux. À ce moment seulement, elle est ingérée.

Puis la mère rapporte des proies à peine abîmées, et c'est aux louveteaux de la chasser et de la tuer.

Plus tard, les louveteaux accompagneront leur mère et leur père à la chasse aux proies de plus en plus difficiles à attraper. Un jour, les louveteaux devenus grands chasseront, au cours d'une chasse organisée, une proie de grande taille.

## La mère fait du façonnement sans le savoir

La louve-mère a élaboré une technique que les scientifiques ont baptisée « façonnement ». Le comportement est façonné, construit, de plus en plus élaboré à partir d'éléments simples.

Comme on ne peut pas faire un mur de brique sans briques et une cloison de bois sans planches, il est impossible de construire un comportement complexe sans mettre ensemble des comportements élémentaires.

On ne peut dire un poème sans en connaître chacun de ses vers, chacune de ses rimes. Mais énoncer les vers dans le désordre n'est pas réciter le poème.

Imaginez un comportement complexe, fait d'une suite d'actes variés.

## Couché, assis, couché, ...

Voici une chienne âgée d'un an à qui l'on a appris la séquence suivante : couché sur le ventre, assis, couché de nouveau sur le ventre, couché sur le dos, tourner sur le dos et se coucher sur le flanc d'un côté puis de l'autre, se relever et s'asseoir.

À quoi cela sert-il, me direz-vous ? À rien, sans doute ! À se faire plaisir ? À faire plaisir à la chienne ? À la faire travailler avant le repas ? À lui proposer une activité méritante qui sera récompensée par un repas ? Probablement tout cela en même temps.

Comment apprendre cette séquence à un chien? Rien de plus facile. Pour cela, il ne faut pas attendre que le chien propose et réalise la séquence complète avant de le récompenser. Sinon, comme aux jeux du hasard, vous pourrez attendre très longtemps avant de gagner. Vous devez lui apprendre cette séquence progressivement.

Chaque étape doit être maîtrisée séparément. Admettons que le chien connaisse chacune des commandes de la séquence. Notre but est de lui faire adopter un ordre précis, et seule la séquence dans l'ordre sera récompensée. Le chien va devoir maîtriser les étapes une par une.

Dans le tableau suivant, j'ai indiqué la récompense par R+.

| | | | | | | | |
|---|---|---|---|---|---|---|---|
| Couché | R+ | | | | | | |
| Couché | Assis | R+ | | | | | |
| Couché | Assis | Couché | R+ | | | | |
| Couché | Assis | Couché | Sur le dos | R+ | | | |
| Couché | Assis | Couché | Sur le dos | Tourner | R+ | | |
| Couché | Assis | Couché | Sur le dos | Tourner | Debout | R+ | |
| Couché | Assis | Couché | Sur le dos | Tourner | Debout | Assis | R+ |

La récompense est continue et systématique. Ce n'est qu'au moment où le chien maîtrise la séquence complète, sans erreur, que l'on passe à un système de récompense intermittente aléatoire, et ensuite à une récompense symbolique, constituée d'un ordre vocal ou d'un geste.

Je vous avoue que cet apprentissage est vraiment très simple. Mon fils de huit ans a appris cette séquence à notre chienne.

## Le frisbee

C'est la même procédure, mais cette fois rétrograde, qui est utilisée pour apprendre au chien à jouer au *frisbee*. Voici votre objectif: vous lancez le *frisbee,* le chien court après l'objet, il saute, il le happe en plein ciel et il vous le ramène.

Si le chien a déjà appris le rappel et le rapport d'objet, tout ce qu'il vous reste à faire est de l'intéresser au *frisbee,* de le lui faire saisir au bond et à accroître progressivement la distance du lancer. Voici un exemple de procédure.

1. Agiter le *frisbee* devant le chien jusqu'à ce qu'il le saisisse en gueule.
2. Lancer le *frisbee* à un mètre jusqu'à ce que le chien le saisisse au vol.
3. Lancer le *frisbee* à deux mètres jusqu'à ce que le chien le saisisse au vol.
4. Augmenter la distance de jet du *frisbee* tout en veillant à ce que le chien réalise la séquence adéquatement.

En un rien de temps, votre chien va courir 10 mètres ou plus et saura attraper un *frisbee* après avoir effectué un saut très esthétique.

## Tout comportement peut être façonné

Celui du chien, celui des enfants, celui du conjoint... Mais seul le chien nous importe ici, n'est-ce pas ? Oh, j'entends déjà des murmures. Peut-on façonner le comportement de son conjoint, de ses enfants ? N'est-ce pas de la manipulation ? La réponse est « oui » et « peut-être ». Oui, on peut façonner le comportement de ses proches. Cela devient de la manipulation quand on le fait exclusivement dans son intérêt. Mais ne vous en faites pas, on ne peut pas faire faire n'importe quoi à n'importe qui !

Avec les étudiants à l'université, j'arrêtais le cours sur l'apprentissage et les thérapies comportementales pour faire un jeu de façonnement. Les enfants connaissent aussi très bien ce jeu du « chaud et froid ».

Je demande deux étudiants volontaires. L'un sera façonné, l'autre sera façonnant. La récompense est symbolique, c'est un claquement de mains. L'étudiant façonnant, l'éducateur en quelque sorte, choisit un comportement à faire effectuer par son cobaye ; par exemple, effacer le tableau noir à l'aide d'un chiffon, mais seulement la partie supérieure droite.

Puis on attend. L'attente est parfois longue.

Enfin, le cobaye bouge. Clap. Il comprend donc qu'il doit bouger.

Il bouge, il se déplace. Rien.

Il se dirige vers le tableau. Clap.

Il comprend qu'il faut bouger et se diriger vers le tableau. Il refait la séquence comportementale. Clap. Il est récompensé. Il recommence à nouveau. Rien. Bon, il lui faut inventer autre chose.

Après divers essais, il s'approche du chiffon. Clap.

Il le prend dans sa main. Clap, clap.

Oh, se dit-il, double récompense ! Voici le cobaye pris au jeu. À quoi sert un chiffon ? À effacer le tableau noir ! Il prend le chiffon, se dirige vers le tableau. Clap. Il commence à effacer le tableau à gauche. Rien. Il se déplace vers la droite. Clap. Il frotte au milieu. Rien. Il va complètement à droite. Clap. Il efface la partie inférieure du tableau. Rien. Il se met sur la pointe des pieds et efface la partie supérieure droite. Clap, clap, clap.

Le jeu est encore plus amusant quand un étudiant peut façonner le comportement d'un de ses… professeurs.

## Façonner le comportement du chien

Pour façonner le comportement du chien, il suffit de récompenser la partie du comportement qui vous intéresse et d'ignorer les autres.

Prenons un exemple.

Votre chien accueille les visiteurs avec exubérance, il saute, il aboie, il hurle même.

Que faire ?

1. Indifférence totale quand le chien hurle et saute : on ne le regarde pas, on ne le touche pas, on ne crie pas, bref, on ne le voit pas. Récompenser quand il ne hurle pas, par exemple seulement quand il aboie et reste les quatre pattes au sol.
2. Indifférence totale quand le chien aboie : on ne le regarde pas, on ne le touche pas, on ne crie pas, bref, on ne le voit pas.

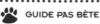

Récompenser quand il n'aboie pas, par exemple seulement quand il jappe et se trémousse.

3. Indifférence totale quand le chien jappe et se trémousse : on ne le regarde pas, on ne le touche pas, on ne crie pas, bref, on ne le voit pas. Récompenser quand il ne jappe pas, par exemple seulement quand il geint et agite la queue.
4. Indifférence totale quand le chien geint : on ne le regarde pas, on ne le touche pas, on ne crie pas, bref, on ne le voit pas. Récompenser quand il ne geint pas, par exemple seulement quand il reste silencieux et fait une approche calme.
5. Indifférence totale si le chien ne fait pas une approche calme avec tête inclinée et regard légèrement détourné (position d'apaisement) et récompenser à ce moment-là.

Quand le chien a maîtrisé une étape, on passe à l'étape suivante. C'est simple, n'est-ce pas ? Désormais, votre chien accueillera les visiteurs calmement et silencieusement.

## La théorie et sa mise en place

La procédure théorique est la suivante.

- On note le comportement de départ.
- On note le comportement auquel on veut arriver.
- On indique les étapes probables par lesquelles le chien va passer.
- On détermine des étapes, les plus courtes possible, que le chien peut maîtriser.
- On écrit ces étapes dans un ordre précis.
- On programme les moments d'indifférence et les étapes à récompenser.
- On détermine les meilleures récompenses pour le chien.
- On met le tout en pratique.

## Faire rouler un ours à bicyclette

Pour faire rouler un ours à bicyclette, il faut utiliser la technique du façonnement.

Non, je ne vous donnerai pas les détails de la procédure. D'ailleurs, à quoi cela servirait-il ? L'ours peut se déplacer en bipédie (sur deux pattes), le chien rarement. Quoique… ! Voulez-vous façonner votre chien à marcher sur ses deux pattes arrières ? Ou, pourquoi pas, sur ses deux pattes antérieures ?

# L'injonction : « Fais, rapporte... »

## Faire ou ne pas faire ?

Faire pour ne pas faire (le contraire) !
Aboyer à l'ordre pour rester silencieux quand l'ordre n'est pas donné.
Rapporter un objet sinon le jeu s'arrête.
Uriner sur l'herbe pour ne pas uriner sur les tapis et protéger la maison.
S'asseoir au croisement des rues pour ne pas se faire écraser.

## Aboyer et se taire à l'ordre

Le chien normal aboie lorsqu'il veut communiquer. Il aboie également lorsqu'il est frustré ; cet aboiement lui sert de soupape de sécurité. Il libère le trop-plein d'énergie.

Certains chiens aboient et ne peuvent plus s'arrêter ; l'aboiement de ces chiens n'est pas normal puisqu'il n'est plus adapté, plus réactif à des circonstances précises. Il devient une habitude et... une nuisance. Ce chien à l'aboiement continu ou répétitif a besoin d'un traitement comportemental ; il ne répondra pas aux techniques éducatives.

L'aboiement, manifestation d'excitation, subit les influences de la récompense et de la punition. Mais l'aboiement est autorécompensant, c'est-à-dire que le comportement s'active lui-même, il se récompense tout seul.

J'ai déjà parlé de la façon de mettre fin à un aboiement. Voici les techniques pour le faire aboyer à la demande et le faire taire à l'ordre.

Pourquoi faire aboyer un chien à l'ordre? Parce que c'est amusant. Parce que l'éducateur fera de l'effet sur des spectateurs occasionnels. Parce que cela peut faciliter l'éducation au silence.

Comment faire?

C'est un simple conditionnement! Quand le chien aboie spontanément, l'éducateur dit « aboie ». Après 20 à 50 répétitions, il est possible que le chien aboie quand l'éducateur dit « aboie ».

Si ce n'est pas le cas, il convient de récompenser l'aboiement: le chien aboie spontanément, l'éducateur dit « aboie » et donne au chien une friandise inattendue. Après 20 répétitions, l'éducateur dit « aboie » et donne une friandise seulement si le chien aboie. S'il n'aboie pas, il ne reçoit rien. Dès qu'il pousse une vocalise, il reçoit la friandise. Après une autre série de 20 aboiements récompensés, la friandise est remplacée par une récompense symbolique.

C'est maintenant que les choses se corsent.

L'éducateur va travailler quand le chien a satisfait ses besoins physiologiques et est à son aise: il a couru, éliminé, mangé. Il est calme. L'éducateur attire l'attention de son élève, lui ordonne d'aboyer. Le chien aboie, il est récompensé. Le chien se tait, l'éducateur dit « silence » d'une voix douce. Et si le chien reste silencieux, il est de nouveau récompensé (cette fois, pour le silence).

On répète l'exercice au moins 50 fois et on ne récompense le chien que lorsqu'il reste silencieux.

Il n'est pas conseillé d'utiliser cet ordre (« silence ») trop tôt lorsque le chien aboie de façon gênante, que ce soit pour prévenir de l'arrivée d'un visiteur (défense territoriale), parce qu'il poursuit un chat, etc. Il est préférable d'arrêter d'abord le comportement gênant avec un « non » symbolique de correction, et de demander un comportement régulé (structuré) comme un « assis » (plus aisé à obtenir qu'un « couché » lorsque le chien est énervé). Ensuite seulement, l'éducateur peut demander le « silence », le chien étant déjà apaisé, restructuré et probablement silencieux. L'éducateur récompensera le chien pour ce silence.

Plus tard, après une cinquantaine de répétitions de ce genre d'exercices avec un chien excité (distraction, comportement structuré, « silence » et récompense), l'éducateur pourra immédiatement donner l'ordre « silence ». L'éducateur doit d'abord veiller à obtenir l'attention du chien.

## Le rapport d'objet

Quel est l'intérêt du rapport d'objet ?

Je vois immédiatement quelques explications. Vous êtes en forêt et désirez jouer avec le chien. Vous envoyez un morceau de bois derrière lequel le chien s'élance. Il le prend en gueule. S'il vous le rapporte, vous n'avez pas à aller le rechercher. C'est un éloge à la paresse.

Vous avez perdu vos clés de voiture, le chien les a trouvées. Il serait agréable qu'il vous les rapporte et vous les donne plutôt que de courir les cacher dans un buisson.

Le chien a volé vos sous-vêtements et s'est enfuit dans le jardin. Il serait convenable qu'il vous les rapporte plutôt que de courir derrière lui dévêtu (c'est une histoire vraie).

Vous trouverez de nombreux exemples qui illustrent l'utilité du rapport d'objet. Pensez aux personnes invalides ! N'avez-vous jamais souffert d'un simple lumbago ? Dans ce cas, ne serait-il pas utile que le chien ramasse l'objet que vous avez laissé tomber, comme votre crayon, votre portefeuille ou vos clés ?

La technique du rapport d'objet est extrêmement facile ; je reste fidèle au conditionnement de l'acte spontané. En fait, il y a ici quatre comportements intéressants.

1. Le chien se saisit d'un objet, le prend en gueule ; le mot conditionnel est « prends ».

2. Le chien rapporte l'objet à l'éducateur; le mot conditionnel est « apporte » ou « rapporte ».
3. Le chien ouvre la gueule pour laisser tomber l'objet; le mot conditionnel est « lâche ».
4. Le chien laisse tomber l'objet dans la main de l'éducateur; le mot conditionnel est « donne ».

L'intention de l'éducateur est de réaliser la séquence: « prends, viens ou ici, rapporte, donne » ou bien « prends, viens ou ici, rapporte, lâche ». Pour y arriver, l'éducateur peut utiliser le façonnement. Chaque ordre est appris séparément.

Quand le chien prend un objet, l'éducateur dit « prends ».

Quand le chien rapporte l'objet en direction de l'éducateur, celui-ci dit « rapporte ».

Quand le chien lâche l'objet, l'éducateur dit « lâche ».

Quand l'éducateur se saisit de l'objet que le chien lâche à proximité de lui, et avant que l'objet ne tombe au sol, il dit « donne ». Plus tard, il ne dira « donne » que si le chien dépose l'objet dans sa main.

Chaque association de comportements et de mots conditionnels est répétée aussi souvent que possible, entre 20 et 50 fois.

Si le chien ne fait pas l'association, il faut récompenser chaque séquence distincte du comportement.

Une fois chaque comportement conditionné, c'est-à-dire que le chien produit le comportement à la demande, on associe les diverses demandes pour en faire un tout.

À ce moment, c'est la séquence complète « prends, viens (ou ici), rapporte, donne » qui est récompensée. Par la suite, la friandise est remplacée par une récompense symbolique. L'éducateur ne dira plus « prends, viens (ou ici), rapporte, donne » mais seulement « rapporte, donne » qui signifiera désormais la séquence complète.

## Va chercher et rapporte

Le but de cet apprentissage est que le chien aille chercher l'objet à la demande et le rapporte. La première partie de l'initiation apprend au chien à rapporter l'objet. Maintenant, il faut lui apprendre à aller le chercher.

Simple, direz-vous, tout chien va chercher le bois qu'on lance pour lui. Exact. C'est par le jeu qu'on y arrive le plus facilement. Le chien est un prédateur qui s'intéresse au mouvement. Jeter un objet, un morceau de bois qui virevolte dans le ciel avant de retomber, ne peut qu'attirer son attention. Le chien démarre automatiquement et court derrière l'objet. Il plonge la gueule vers l'objet pour l'explorer, le saisit en gueule. Parfois, il le secoue comme il le ferait d'une proie de petite taille.

Chaque chien a son objet préféré. À l'éducateur de le découvrir. Le reste est un jeu d'enfant, enfin… un jeu de chien.

L'éducateur lance l'objet à quelques mètres ; quand le chien s'élance, il dit « va chercher ». Ensuite, quand le chien est à proximité de l'objet, l'éducateur dit « rapporte » pour signifier toute la séquence « prends, viens, rapporte » et finalement, il dit « donne » pour recevoir l'objet en main.

Puis, la distance du jet va augmenter progressivement. L'éducateur utilisera conjointement les mots « va chercher, rapporte » pour bientôt ne plus utiliser que le mot « rapporte », qui signifie désormais « va chercher, prends, viens, rapporte ».

Il est encore temps de mettre une pause entre le « rapporte » et le « donne » en plaçant la commande « assis ». La séquence complète est « va chercher, prends, viens, rapporte, assis » puis « donne ».

Quand le chien s'assied automatiquement, la commande « assis » peut être supprimée pour ne conserver que « rapporte » et « donne ».

Dès lors, le chien va chercher l'objet, le rapporte, s'assied et ne donne l'objet qu'à l'ordre « donne ».

## Le rapport dans l'eau

Combien de chiens ne vont-ils pas en mer ou dans un étang pour rapporter le morceau de branche que leur a lancé l'éducateur ?

Tous ces chiens font le rapport dans l'eau, certains en nageant.

Pourquoi ne pas profiter de cet enthousiasme pour en faire une commande ? Les ordres sont les mêmes que pour le rapport sur terre ferme.

On peut aussi entraîner le chien en lui lançant des objets de plus en plus lourds et encombrants comme un mannequin et, par la suite, le faire haler hors de l'eau un humain adulte. C'est ainsi qu'un chien, par exemple un terre-neuve, peut devenir spécialiste du sauvetage en mer.

## Ouvrir une porte

Quelques chiens ouvrent les portes des pièces et les portes des armoires. Cela peut être un désagrément et il faudra recourir à des verrous mécaniques pour les en empêcher. Mais pour une personne peu valide, en chaise roulante, il est intéressant que le chien ouvre les portes.

À la maison, on peut l'aider en nouant des chiffons autour des poignées des armoires. Le chien n'a qu'à tirer sur le chiffon pour ouvrir la porte. Encore faut-il qu'il le fasse à la demande.

Si on agite un chiffon devant le chien, il va s'amuser à l'attraper en gueule et à tirer. Ce jeu connu de nombreux chiots est très amusant.

J'ouvre une parenthèse. Ce jeu renforce le mordant du chien. Il est donc interdit pour le chien hyperactif qui a un très mauvais contrôle de sa mâchoire et a déjà tendance à mordre trop fort. Au contraire, il faut le corriger quand il tire et veut arracher un objet des mains, et lui apprendre l'ordre « lâche » pour qu'il ouvre la gueule au lieu de la tenir serrée comme un forcené. Je ferme la parenthèse.

Quand le chien tire spontanément sur le chiffon, l'éducateur dit « tire ».

Il répète l'exercice entre 20 et 50 fois jusqu'à ce que le chien fasse l'association automatiquement et vienne tirer le chiffon quand on dit « tire ».

On pratique ce jeu, ou ce travail, comme vous préférez, de plus en plus près d'une armoire, en tenant le chiffon de plus en plus près d'une poignée d'armoire.

Puis le chiffon est attaché à une poignée et l'éducateur encourage le chien à s'en saisir en disant « tire », tout en tenant la main sur le chiffon. Le chien tire et la porte de l'armoire s'ouvre ; l'éducateur dit « ouvre ». Le chien est récompensé par une friandise ou une récompense symbolique, en fonction de son niveau d'instruction.

Cet exercice est répété jusqu'à sa maîtrise complète.

Progressivement, l'éducateur éloigne sa main du chiffon et le chien continue à ouvrir la porte à l'ordre « tire, ouvre ». Rapidement, seul le mot « ouvre » suffit à lui faire ouvrir une armoire.

## L'assis revisité

Dans la procédure de l'apprentissage de l'assis, je m'étais arrêté à un assis à l'ordre vocal. L'éducateur peut bien entendu faire asseoir un chien à l'ordre gestuel. Il suffit de donner un ordre double « assis + geste ».

Quel geste peut-on utiliser ?

Je me suis toujours servi du bras mis en avant, avant-bras plié à angle droit, index pointant vers le ciel (poing fermé) ou main étendue.

En associant le geste et le mot « assis », ils deviennent synonymes et l'éducateur peut utiliser l'un ou l'autre.

L'intérêt du geste est qu'il est perçu à plus grande distance que ne porte la voix.

## Le rappel revisité

Comme pour l'assis, le rappel peut être demandé d'un geste du bras. Je me sers toujours du même geste : je bats ma cuisse avec ma main, bras tendu. Ce petit mouvement saccadé est très visible de loin et très attractif.

Associer ce geste au mot « viens » permet d'en faire des synonymes que l'éducateur peut utiliser au choix.

D'autres auteurs conseillent de mettre la main sur le cœur. Le mouvement me semble moins visible, mais reste cependant un signal codé. Chaque éducateur peut inventer son propre signal.

## L'immobilisation à distance

Qu'un chien obéisse à portée de toucher de son éducateur est une belle chose, qu'il obéisse à distance est encore mieux. Si notre chien-élève a déjà maîtrisé toutes les techniques de ce guide, il obéit déjà à distance. Il revient au rappel, il rapporte des objets.

Mais est-il capable d'obéir à une demande d'immobilisation ?

Prenons un exemple. Le chien a couru derrière un écureuil, il a traversé la rue. L'éducateur désire qu'il ne traverse pas une seconde fois la chaussée. Il y a des voitures qui roulent et c'est dangereux. Si le chien pouvait s'asseoir ou se coucher à distance, il ne traverserait pas la route.

Voilà une des finalités de l'assis ou du couché à distance.

Pour éviter de crier l'ordre, il est plus aisé de réaliser la demande d'un geste du bras.

Pour que le chien obéisse à distance, il suffit de le faire obéir à distance croissante. Il obéit aux pieds de son éducateur. Ensuite, celui-ci le fait obéir à un mètre et augmente d'un demi à un mètre chaque fois que le chien maîtrise la distance précédente.

Certains chiens nécessiteront une vingtaine d'exercices en tout, d'autres plutôt une cinquantaine. Qu'importe; tout chien normal maîtrise cet exercice rapidement.

## Un contre-conditionnement facile

Lorsqu'un chien court après une bicyclette ou s'amuse à mordre les mollets d'un coureur, que faire?

Le chien est autorécompensé. Son comportement est une récompense. Comme nous l'avons vu, le corriger ne lui apprend pas à mieux se comporter. Lui apprendre un nouveau comportement incompatible avec celui qu'il adopte spontanément est la meilleure solution.

Que fait le chien? Il voit le coureur, la bicyclette… le stimulus dirons-nous. Il est vigilant. Il se lance à sa poursuite ou à l'assaut. Il menace de mordre. Il revient en frétillant de la queue. Si l'éducateur l'appelle, le chien ne répond pas. Il est comme sourd à son appel.

Voici la technique?

Le chien est en laisse. L'éducateur sent que le chien devient vigilant. Il a perçu le stimulus. L'éducateur demande un «assis» et donne une friandise. Il faut répéter cette demande au moins 100 fois. Ensuite on peut passer à une récompense symbolique.

Que se passe-t-il dans le cerveau du chien?

- Le chien doit prendre une posture calme, l'assis, et non une position debout.
- Il doit regarder son éducateur et non le stimulus.
- Il reçoit une friandise qui met en activité son système digestif, apaisant et s'opposant à l'adrénaline de la vigilance et de l'anticipation de l'attaque.

Ces trois nouveaux éléments de la demande s'opposent à trois éléments du comportement spontané du chien.

C'est efficace et simple. La seule difficulté réside dans le nombre de répétitions nécessaires pour créer un nouveau conditionnement.

J'ai connu des chiens qui attaquaient des bicyclettes et qui, après cet apprentissage, cherchaient leur éducateur et venaient spontanément s'asseoir près de lui en présence d'un vélo.

## Conclusion

Apprendre un comportement, c'est parfois utile pour s'opposer au comportement spontané, mais dommageable et dangereux, du chien. À retenir : il faut toujours apprendre quelque chose de nouveau au chien plutôt que de punir sans cesse un défaut.

# L'imitation et le jeu

Beaucoup de chiens ont des comportements qu'ils n'ont pas appris. Ils ouvrent les portes, font du jardinage (ils enlèvent les fleurs que leur maître vient de planter!), chantent quand on joue de l'harmonica... Ont-ils appris tout seuls?

## L'imitation

Le chien apprend par imitation.

Les chiots imitent leur mère, première éducatrice. Cette compétence nécessite d'observer, de se représenter mentalement l'acte à émettre et à le reproduire. La copie de l'acte n'est pas toujours parfaite, par exemple lorsque le chien déterre toutes les plantes que vous avez plantées!

La reproduction de la séquence est plus typique lorsque le chien attaque l'apache (le figurant, l'homme d'attaque) après avoir simplement vu ses congénères faire de même.

Cet élément fondamental est trop souvent oublié dans les clubs où éducation à l'obéissance et dressage de défense se font en même temps sur des terrains contigus. Combien de chiens en apprentissage d'éducation et d'obéissance n'apprennent pas à attaquer par simple imitation?

## Quand on a deux chiens, lequel imite l'autre ?

Il est très probable que les deux chiens s'imitent mutuellement. Cependant, les défauts et les comportements nuisibles s'imitent plus facilement que les qualités.

Pourquoi ? Parce qu'ils témoignent de penchants vers la facilité alors que les qualités sont des exercices supérieurs, des savoirs complexes.

Les pertes de contrôle, les manques éducatifs, se copient plus aisément que les augmentations de contrôle et les gains éducatifs. Pour un chien qui s'assied en voyant un congénère ami s'asseoir, il y en a des centaines qui imitent de préférence les aboiements, les conduites d'agression, les vols d'aliment, la mendicité, etc. Dès lors l'acquisition d'un second chien doit se faire après mûre réflexion.

Pour un chien anxieux ou peureux, un chien équilibré (non peureux) peut jouer le rôle de modèle [instructeur]; il l'entraînera à affronter plus facilement l'objet de ses craintes. C'est ainsi que des chiens craintifs supportent plus aisément de sortir dans la rue, sur des marchés et dans des gares, lieux pour eux effrayants, lorsqu'ils sont accompagnés d'un chien ami qui leur montre l'exemple. Le chien professeur devient un chien thérapeute.

## Apprendre en jouant

Il ne devrait jamais en être autrement.

Il n'y a pas de raison de reproduire avec nos chiens les techniques d'éducation utilisées avec nos enfants. L'instruction ne devrait jamais être ennuyeuse ou fatigante. L'initiation se mémorise plus facilement en jouant, en s'amusant.

Cela ne signifie pas que la correction n'est pas nécessaire. On joue, mais on respecte les règles du jeu.

Lorsque le chiot âgé de cinq semaines joue, sa mère se précipite sur lui et le plaque au sol en lui faisant une pression sur la nuque. Il culbute et se retourne sur le dos. C'est un jeu brutal, mais jamais la mère ne montre de colère et jamais le chiot ne montre de ressentiment.

## Jamais de colère

Si à un moment quelconque du processus éducatif, l'éducateur est en colère, c'est qu'il y a un problème de communication ou de technique. Je ne dis pas que l'éducateur ne peut ressentir de la frustration parce que son élève ne répond pas de la façon qu'il souhaitait, ou être irrité parce que les 50 répétitions de l'exercice n'ont pas donné les résultats attendus (malgré ce que le guide annonçait!). Mais montrer de la colère, travailler en macho autoritaire, frapper le chien jusqu'à ce qu'il se soumette, avoir « une bonne discussion », crier, hurler, perdre contrôle se font au détriment de la qualité de l'éducation. L'éducateur en colère perd son temps et celui de son élève. Il lui fait peur, il le met en colère. La colère engendre de la colère et de la peur. La confiance et la patience engendrent de l'attachement, de l'écoute, de la compréhension et du plaisir.

## Jouer en thérapie

Quand un chien a peur de sortir dans la rue, comment l'amener à affronter sa peur ? Faut-il le prendre en laisse ou dans les bras et le forcer à sortir et rester dehors jusqu'à ce qu'il se calme ?

Oui, c'est une (bonne) solution. On peut aussi le faire jouer dans la maison à un jeu passionnant qui captive toute son attention. Prenons un jeu de balle. La balle rebondit contre le sol, les murs et les fauteuils. Le chien semble rebondir après la balle. La porte est ouverte. La balle s'échappe sur la terrasse. Le chien la poursuit. L'éducateur ne dit rien. Le chien rapporte la balle. Le jeu se poursuit. La balle rebondit contre un pot de fleurs dans le jardin. Le chien abandonne un court instant la balle pour renifler le pot de fleurs. L'éducateur ne dit rien. Le jeu continue.

Puis, l'éducateur recommence le jeu. Cette fois, la porte qui donne sur la rue est ouverte. La rue est calme ; c'est un moment tranquille. Le chien joue. La balle va sur le trottoir. Le chien sort la chercher. Il revient, ressort à la poursuite de la balle. Il s'arrête pour flairer une voiture garée devant la maison. L'éducateur ne fait rien, ne dit rien. Le chien cherche la balle, la prend dans sa gueule, rentre avec elle dans le couloir.

Pendant ce jeu, le chien entre en contact avec l'environnement dont il a peur, qu'il s'agisse du jardin, de la rue, de personnes spécifiques (adultes, enfants), d'objets… Ce contact par l'exploration d'abord inconscient, puis conscient, est très favorable parce qu'il est associé à un processus d'entraînement par le jeu, une humeur agréable, plaisante et excitante, une humeur très différente de celle de crainte liée d'habitude à ces personnes, à ces lieux ou à ces objets.

Le chien s'habitue grâce au jeu.

# Le sport

## Chien de famille ou chien de sport ?

Pourquoi pas l'un et l'autre?

On peut être un très bon chien de salon, étendu en travers du sofa, et se dépenser comme un beau diable en pratiquant du sport de haute voltige, je veux dire du sport de compétition. Mais même pour s'amuser et amuser la famille, pratiquer du sport est une excellente idée.

## Le jogging en famille

Courir avec son chien. Quelle merveilleuse habitude! C'est excitant quand on aime ça. Et c'est encore plus excitant pour le chien.

Se faire accompagner de son chien quand on joue au golf est aussi très agréable.

Il y a quelque chose d'attachant dans le fait de se donner à fond dans une activité avec autrui. Cela resserre les liens d'amitié entre les partenaires; il y a une sorte d'émulation. Faire les choses ensemble, plutôt que l'un contre l'autre. C'est tout le sujet de l'activité de groupe à laquelle le chien tient énormément.

À part les promenades traditionnelles, il est rare que propriétaires et chiens aient des activités de groupe, avec le même but, la même fonction et une coordination des deux. Ce type d'activités répond au mieux aux besoins physiologiques du chien social. Peu de lutte d'influence, pas de dominance : on est ensemble, on fait la même chose, on va dans la même direction, on est juste un petit peu en compétition l'un avec l'autre. Et chacun développe une forme extraordinaire.

## Le parcours d'agility

Ce sport populaire est adapté aux chiens et aux maîtres.

Le chien, mené à la voix et aux gestes, mais qui n'est pas touché par le conducteur, doit franchir une série d'obstacles en un temps minimum : sauter des barrières, passer sur une passerelle (une poutre), ramper dans un tunnel souple ou dur, franchir une palissade, zigzaguer (slalom) entre des piquets, sauter à travers un pneu, etc.

On peut préparer le chien à franchir chaque obstacle séparément, en limitant d'abord la difficulté : réduire la hauteur de la palissade, coucher d'abord la passerelle sur le sol, puis l'élever progressivement, raccourcir le tunnel… Chaque exercice doit être facilement maîtrisable et la difficulté, accrue progressivement.

Une fois que le degré de difficulté est atteint, on enchaîne les exercices. L'important dans l'apprentissage est de commencer et de terminer par des obstacles faciles à franchir. Réussir dans le commencement pour y croire et terminer aisément pour se faire du bien. Je conseille de maîtriser d'abord parfaitement ces deux étapes du parcours.

L'éducateur s'attaquera ensuite aux obstacles du milieu.

Je recommande à l'éducateur de s'adresser à un club d'éducation de qualité afin de réaliser cet apprentissage sportif en groupe, l'émulation du groupe étant très favorable à la réalisation de progrès rapides.

## Le chien de défense

Sur ce sujet, mon avis est assez tranché. Tout ce qui augmente l'agression et le mordant du chien est contraire à ce que l'on exige du chien de famille. Ce dernier se doit d'accepter le contact, même imprévu, de ses familiers et d'étrangers, et cela, sans mordre. Le chien de famille est un bon citoyen.

Le travail de défense augmente le mordant. Théoriquement, le chien est conditionné à un ordre, c'est-à-dire qu'il ne peut pas mordre sans en avoir reçu l'ordre. Il doit lâcher la prise à la commande.

J'ai vu de nombreux chiens de défense, j'en ai soigné beaucoup. Rares sont les bons chiens de défense qui répondent à tous les critères de conditionnement et qui sont, en même temps, socialisés correctement et sociables. Tous les autres chiens présentent un risque pour leur entourage.

Selon moi, il faut réserver l'apprentissage des techniques de défense aux chiens professionnels, et cela dans le but de protéger le plus grand nombre de citoyens.

Mais le lecteur est tout à fait autorisé à ne pas partager mon avis.

## Du sport au travail

De nombreux sports requièrent un apprentissage particulier : la traction d'un traîneau, le pistage, etc.

Ces chiens sportifs sont prédisposés à devenir des chiens de travail. Et pourquoi ne deviendraient-ils pas des professionnels ?

# Les principes de l'éducation

Ces principes sont écrits en fin d'ouvrage parce qu'il résument les éléments fondamentaux énoncés tout au long de ce guide, soit :

- s'amuser ;
- se divertir ;
- se réjouir ;
- ne pas se fatiguer.

Outre ces principes fondamentaux, en voici d'autres plus accessoires, écrits dans le désordre.

- Aimer le chien.
- S'aimer soi-même.
- Ne jamais se mettre en colère.
- Conditionner.
- Récompenser dans 80 % des cas.
- Corriger dans 20 % des cas.
- Être constant : toujours dire et faire la même chose.
- Parler chien.
- Être plus malin que le chien.
- …

## Faut-il être dominant ou macho pour éduquer un chien ?

Pour éduquer un chien, il ne faut pas être spécialement dominant.

« Un homme a plus de pouvoir qu'une femme sur un chien, car la hiérarchie du chien est masculine. Le chien obéit plus facilement à un homme, sans récompense. On dit que l'homme a plus d'autorité. C'est une affaire de machos. »

Coupons court à ces affirmations. Tous ces stéréotypes sexistes sont faux. Pour éduquer un chien, être macho n'est d'aucune aide. Il vaut mieux être malin et inventif.

La femme qui utilise les techniques de ce guide aura toute l'autorité qu'elle voudra sur le chien. Je parle d'autorité dans le sens de capacité d'obtenir une obéissance, c'est-à-dire une réponse à la demande. Et pourtant, elle n'a pas besoin d'être macho pour y arriver.

# L'école des chiots

Les chiots peuvent quitter leur mère vers sept semaines pour être adoptés. Mais le manque de toute communication avec les autres chiots et les chiens adultes diminue considérablement le développement de leur sociabilité.

Vivre avec des humains est une bonne chose, indispensable pour le chien de famille, mais c'est insuffisant. Vivre avec des chiens est tout aussi indispensable au chiot que d'être entouré d'humains.

Comment faire ?

## Rassembler les chiots

Il n'est pas possible à chaque famille d'adopter de nombreux chiens pour entretenir la socialisation du chiot avec ses congénères. Aussi, certains éleveurs font des fêtes et rassemblent les portées qui s'étaient éparpillées aux quatre coins cardinaux. Mais ces rencontres occasionnelles sont insuffisantes. Sans contact assidu, sans contact hebdomadaire, les chiots perdent de leurs compétences sociales.

## Les cours de récréations

Pouvoir rassembler les chiots deux fois par semaine pendant une à deux heures dans des lieux protégés et clôturés pour leur permettre de s'ébattre est une occasion extraordinaire. Non seulement ils pourront courir, mais ils auront aussi l'occasion de se familiariser avec de nombreux types de chiens d'âges différents. Sans cela, ils pourraient devenir… racistes. Les chiots qui ne côtoient que certaines races canines de même gabarit ne s'accoutument pas aux autres types de chiens et développent parfois des comportements d'agression ou de crainte devant eux.

## Des chiens adultes dans l'école des chiots

C'est une erreur éducative fréquente que de laisser des chiots s'ébattre seuls sans contrôle. Une chienne ne laisse pas ses chiots seuls très longtemps et la meute est toujours présente à proximité des chiots. Les adultes interviennent pour régler les conflits naissants et imposer à tous un contrôle des mouvements et des morsures.

Voilà pourquoi je conseille la présence d'un chien adulte pour 5 à 10 chiots. Ce chien adulte sera mâle ou femelle, peu importe. Il ou elle sera un bon éducateur.

## Qu'entend-on par un chien adulte bon éducateur ?

Le chien adulte bon éducateur est celui qui s'amuse, ne s'énerve pas, est patient et tolérant, mais ferme en même temps. Il corrige les chiots un par un, les retourne sur le dos, les calme. Les chiots le respectent et se soumettent, l'approchant avec une posture basse ou se retournant spontanément à son arrivée. Mais dès que soumission et allégeance ont été obtenues par l'adulte, le chiot et le chien adulte jouent ensemble. Le chiot peut même inventer et diriger le jeu.

## Socialiser, habituer…

Dans cette ambiance de fête et de jeu, les chiots seront socialisés non seulement aux chiens mais aussi aux personnes, aux divers milieux et

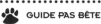

leurs stimuli seront variés. Ils s'habitueront progressivement aux bruits de voiture, aux bicyclettes, aux explosions de pétards et aux détonations de pistolets d'enfants. Après un apprentissage de la tolérance de la laisse, des balades en ville permettent une habituation précoce aux bruits, aux odeurs et à l'animation urbaine. Des balades à la campagne habitueront les chiots aux animaux de la ferme, excellente prévention contre la chasse à la volaille et l'agression irraisonnée des vaches et des chevaux.

Un chiot habitué à des environnements variés est plus adapté à toute modification imprévisible de son environnement à l'âge adulte. Imaginez que vous déménagiez près d'un aéroport ou que vous quittiez la ville pour vous installer avec chien et bagages à la campagne, ou que vous quittiez la campagne reposante pour un appartement en ville…

Pour plus de détails sur ce sujet, reportez-vous à la section intitulée « L'éducation du chien ».

## L'école des ados

L'école des chiots se poursuit par celle des chiens plus grands. Avant d'entrer dans l'âge adulte, le chiot passe par l'adolescence, période de crise par excellence. À ce moment, plus encore qu'à tout autre, le jeune chien devient querelleur, houspille les adultes, remet en question leur statut de dominant et se fait réprimander.

Certains éducateurs empêchent les chiens adultes de gronder les jeunes. C'est une erreur, car grâce à la réprimande, le jeune chien apprend à utiliser les postures de soumission acquises étant chiot. La posture de soumission met fin à l'attaque d'un chien adulte. Après plusieurs conflits perdus, l'adolescent fait l'économie de futurs combats. Il se tient coi et il restera ainsi calmé jusqu'à l'âge adulte où l'envie de houspiller les dominants le reprendra.

Si on empêche la fin du combat, il n'y a ni vainqueur ni vaincu, mais deux gagnants. Dans le cas contraire, le chien adolescent gagne le conflit, il comprend que la présence d'un humain est synonyme de victoire.

Dès lors le combat suivant sera plus intense, et le suivant encore pire, jusqu'à ce qu'aucune posture ne parvienne plus à résoudre le conflit. À ce moment, les chiens s'entredéchirent.

## La présence indispensable d'un chien adulte

Je reviens sur cette notion que je crois fondamentale. Un chien adulte, bon éducateur, qui ne se laisse pas impressionner par les chamailleries et les escarmouches des adolescents est un atout de taille dans l'éducation sociale des juniors et dans l'apprentissage du respect du monde des adultes, qu'ils soient chiens ou humains.

## Choisir une école d'éducation

Mon choix se fait de la façon suivante. Je vais voir. Je m'arrête à l'entrée et j'écoute. Si j'entends crier, si les ordres sont donnés à forte voix, je préfère m'en aller. Pourquoi les chiens ne pourraient-ils pas obéir à une voix normale? Je crois qu'ils en sont capables. La voix forte est prise pour de l'autorité, mais elle n'est en fait que le témoin de l'agressivité de l'éducateur. Je fais une grande différence entre agression et assertion, qui est la capacité de s'affirmer, de donner son avis ou une commande, sans agresser.

Une fois que j'ai trouvé une école où l'on parle d'une voix normale et intelligible, j'étudie la technique d'éducation. Mon critère est le suivant: est-ce que tout le monde s'amuse? Si c'est le cas, la technique de base est le jeu et la récompense. J'examine aussi les corrections, parce qu'il en faut. Elles doivent être contrôlées et efficaces et ne pas altérer l'ambiance de jeu.

Je suis convaincu que l'époque de l'éducation coercitive et punitive du chien est révolue.

# L'école du vieux chien

## Jusqu'à quel âge un chien est-il capable d'apprendre ?

La réponse est toujours : « Jusqu'à la mort ! »

Un chien peut apprendre à tout âge. Cela ne signifie pas qu'il mémorise avec autant de facilité qu'un chiot. Bien entendu, en vieillissant, les organes nobles (cerveau, foie, rein, yeux... ) se détériorent. Les sens sont altérés : le chien âgé voit et entend moins bien, même si l'odorat persiste longtemps.

Le cerveau fonctionne aussi moins bien. Et sans un bon cerveau, pas d'apprentissage correct, pas de mémorisation à long terme.

## Une mise au point

Une visite chez un(e) vétérinaire permettra de faire un bilan de santé du chien âgé. L'examen sera complet ; des analyses d'urine et de sang permettront d'en connaître plus sur ses fonctions vitales. Un bilan comportemental peut aussi être fait. Il déterminera si le chien âgé souffre d'une pathologie associée au vieillissement, comme un état de dépression ou un syndrome confusionnel. Dans ces deux pathologies, les facultés d'apprentissage sont très limitées. Mais rassurez-vous, des médicaments existent pour redonner à votre chien âgé le tonus de sa jeunesse. Enfin... j'exagère, mais à peine ! Des traitements permettent de stabiliser et d'améliorer l'état dépressif ou confusionnel du chien.

## Quelles techniques éducatives utiliser ?

Le grand avantage des techniques présentées dans ce guide est qu'elles sont pratiquement applicables de la naissance à la mort. Le vieux chien n'a pas besoin de techniques différentes. Il a juste besoin qu'on répète les commandes et les récompenses plus souvent, et il se contente mal d'une récompense symbolique.

## Pour un chien aveugle et sourd ?

Les chiens aveugles et sourds peuvent apprendre malgré leur handicap. Ils répondent au toucher du corps. L'éducateur doit inventer tout un nouveau langage de signaux qui seront conditionnés aux actes spontanés et récompensés. On pourra transformer ces actes spontanés en commandes élémentaires.

Un signal pour :

- la récompense symbolique ; par exemple, toucher le chien sur le sommet du crâne ;
- l'assis ; par exemple, un toucher du bas du dos ;
- le coucher ; par exemple, un toucher du garrot.

On peut façonner d'autres ordres, même des séquences complexes. Il suffit à l'éducateur d'être… inventif.

## Être inventif

Un chien âgé obéissant est un vrai plaisir. Après avoir vécu une longue vie d'amitié ensemble, pourquoi laisser les inconvénients liés à la perte des compétences cognitives gâcher ses dernières années ? Pourquoi ne pas s'amuser à travailler avec lui comme on le ferait avec un chiot, pour qu'il garde le goût d'être actif, qu'il continue de faire partie de la famille et qu'il vive heureux ?

## L'école du vieux chien

Je ne connais pas d'école spécifique pour les vieux chiens. Et c'est dommage. L'école du vieux chien est encore à inventer.

# Une question de race ?

## Une réponse aisée

Je suis très à l'aise pour répondre à cette question. La génétique a peu à voir dans la capacité d'apprentissage d'un chien. C'est l'environnement qui donne toute sa richesse au développement de ses compétences.

## Du rat au chien

Chez le rat, on a pu sélectionner des lignées expertes et d'autres plutôt inaptes dans la traversée d'un labyrinthe. Mais élevés dans un milieu enrichi, les rats « bêtes » ont fait des progrès considérables. Élevés dans un milieu appauvri, les rats « malins » ont souffert.

Chez l'être humain aussi des études ont montré que la génétique intervenait globalement dans 30 % des compétences cognitives. Le 70 % relève de l'environnement, de la socialisation et de l'éducation.

Passons du rat, ou de l'humain, au chien. Grosso modo, ces valeurs sont applicables. Le chien possède une variabilité génétique. Et assurément, certains chiens sont plus doués que d'autres. Mais peut-on pour autant affirmer qu'une race est plus douée qu'une autre ?

Les épreuves de sport comme l'*agility* favorisent un type de chien plus léger, souple, endurant, comme le border colley. La traction d'un traîneau sur neige sert le husky et le malamute. Mais sur terre et dans le sable dur, la traction d'un kart (trial-dog) est conseillée pour d'autres chiens comme le boxer, par exemple. Dans les tests de travail et d'obéissance, le caniche, le berger allemand, le golden retriever, le labrador sont classés significativement plus haut que le basset hound, le pékinois, ou le bichon maltais, pour ne citer que quelques races au hasard.

Mais toutes ces épreuves ne sont pas des tests d'intelligence. Chaque race a été sélectionnée dans un but précis, pour une fonction particulière dans laquelle elle devrait exceller. Mais dans toutes les races, on trouve des chiens intelligents et d'autres qui le sont moins.

## Et l'éducation du bon citoyen ?

Tout chien normal, j'entends un chien qui ne souffre pas d'une pathologie comportementale, est capable de maîtriser la majorité des commandes décrites dans ce guide.

Si le chien est inapte, il est conseillé de consulter un(e) vétérinaire comportementaliste.

# Conclusion

J'ai de grandes difficultés à conclure un guide qui, à mon sens, n'est pas terminé. Pourquoi ne l'est-il pas ? Les quelques techniques proposées sont très efficaces. Mais ce n'est qu'un début. Pourquoi s'arrêter en si bon chemin ? Pourquoi ne pas apprendre au chien à jouer au football (soccer), à participer à des concours d'obéissance, à devenir un compagnon participant à tous les instants de votre vie ?

Je dois m'arrêter. Vous avez les principes et les techniques de base. Que vous faut-il de plus ? L'imagination.

Imaginez ce qu'un chien pourrait faire, représentez-vous ce que l'éducateur pourrait lui demander d'accomplir et mettez le tout en pratique.

En fait, ce n'est pas à moi de conclure. C'est à vous que revient ce privilège.

## DU MÊME AUTEUR

Dans la collection « Nos amis les animaux » :

*L'éducation du chien*, Montréal, Le Jour, éditeur, 1998.
*L'éducation du chat*, Montréal, Le Jour, éditeur, 2000.
*Chiens hors du commun*, Montréal, Le Jour, éditeur, 2e édition, 1996.
*Chats hors du commun*, Montréal, Le Jour, éditeur, 1998.

Dans la collection « Guide pas bête » :

*Mon jeune chien a des problèmes*, Montréal, Le Jour, éditeur, 2000.
*Mon chien est-il dominant?*, Montréal, Le Jour, éditeur, 2000.

Dans la collection « Vivre avec nos animaux »

*Le chien qui vous convient – Tout ce qu'il faut savoir pour faire un bon choix*, Montréal, Le Jour, éditeur, 2001.

Dans la collection « Mon chien de compagnie » : 46 titres sur les races de chien.

Aux éditions Vander (Bruxelles) :
*Le chat cet inconnu*, Bruxelles, Vander, 1985 (1ère édition), 1989 (2e édition), 2000 (3e édition).
*L'homéopathie, pour votre chien, pour votre chat*, Bruxelles, Vander, 1987.
*Mon chien est d'une humeur de chien*, Bruxelles, Vander, 1989.

Chez Delcourt Productions (Paris) :
*Ma vie de chat*, Paris, Delcourt Productions, 1991 (dessins de Bruno Marchand)

# Table des matières

Cet ouvrage a été achevé d'imprimer
au Canada en septembre 2001.